THE
LITTLE PRINCE

小王子

(法) 安东尼·德·圣埃克苏佩里
Antoine de Saint-Exupéry

盛世教育西方名著翻译委员会
主　　任：黎小说　高民芳　林敬贤
美术编辑：赵　旭
本册委员：黄　蒙

世界图书出版公司
上海·西安·北京·广州

图书在版编目（ＣＩＰ）数据

小王子：中英法对照／（法）安东尼·德·圣埃克苏佩里著；盛世
教育西方名著翻译委员会译.—上海：上海世界图书出版公司，2009.1
(中英对照全译丛书)
ISBN 978-7-5062-9782-0

Ⅰ. 小… Ⅱ. ①安… ②盛… Ⅲ.①英语－汉语－对照读物②童话
－法国－现代 Ⅳ.H319.4：Ⅰ

中国版本图书馆 CIP 数据核字（2008）第 167181 号

小王子

（法）安东尼·德·圣埃克苏佩里 著
盛世教育西方名著翻译委员会 译

上海世界图书出版公司 出版发行
上海市尚文路 185 号 B 楼
邮政编码 200010
北京中科印刷有限公司印刷
如发现印刷质量问题，请与印刷厂联系
（质检科电话：010-52052501）
各地新华书店经销

开本：787×1092   1/32   印张：5.75   字数：295 000
2009 年 1 月第 1 版   2009 年 1 月第 1 次印刷
ISBN 978-7-5062-9782-0/H·865
定价：14.80 元
http://www.wpcsh.com.cn

前　言

通过阅读文学名著学语言，是掌握外语的绝佳方法。既可接触原汁原味的外语，又能享受文学之美，一举两得，何乐不为？

对于喜欢阅读名著的读者，这是一个最好的时代，因为有成千上万的书可以选择；这又是一个不好的时代，因为在浩繁的卷帙中，很难找到适合自己的好书。

然而，你手中的这套丛书，值得你来信赖。

这套精选的中英对照名著全译丛书（注：《小·王子》一书还附有法文版本），未改编改写、未删节削减，书中配有精美手绘插图，图文并茂，值得珍藏。

要学语言、读好书，当读名著原文。如习武者切磋交流，同高手过招方能渐明其间奥妙，若一味在低端徘徊，终难登堂入室。积年流传的名著，就是书中"高手"。然而这个"高手"却有真假之分。初读书时，常遇到一些挂了名著名家之名改写改编的版本，虽有助于了解基本情节，然而所得只是皮毛，你何曾真的就读过了那名著呢？一边是窖藏了五十年的女儿红，一边是贴了女儿红标签的薄酒，那滋味，怎能一样？"朝闻道，夕死可矣。"人生短如朝露，当努力追求真正的美。

本套丛书的外文版本，是根据原版书精心挑选而来；对应的中文译文以直译为主，以方便对照学习，译文经反复推敲，对忠实理解原著极有助益。

读过本套丛书的原文全译，相信你会得书之真意、语言之精髓。

送君"开卷有益"之书，愿成文采斐然之人。

小王子

The Little Prince

Le Petit Prince

To Leon Werth

I ask the indulgence of the children who may read this book for dedicating it to a grown-up. I have a serious reason: he is the best friend I have in the world. I have another reason: this grown-up understands everything, even books about children. I have a third reason: he lives in France where he is hungry and cold. He needs cheering up. If all these reasons are not enough, I will dedicate the book to the child from whom this grown-up grew. All grown-ups were once children-- although few of them remember it. And so I correct my dedication:

To Leon Werth
when he was a little boy

献给列翁·维尔特

我请那些可能读到这本书的孩子们原谅：我把这本书献给了一个成年人。我有一个很庄重的理由：他是我在这个世界上最好的朋友。我还有另一个理由：这个成年人什么都懂，甚至关于孩子的书他也懂。我还有第三个理由：这个人住在法国，他在那里又冷又饿，需要安慰。如果这些理由还不够充分，我愿意把这本书献给那个孩子——这个成年人的儿童时代。所有成年人都曾经是个孩子——虽然只有很少一些人记得这一点。因此，我把献词改为：

献给还是小男孩时的
列翁·维尔特

小王子

第一章

　　在我还只有六岁的时候，有一次在一本书上看到了一幅很有意思的画。书的名字叫做《大自然的真相》，讲的是原始森林的故事。那幅画画的是一条正在吞食猎物的蟒蛇，这就是那幅画的摹本：

　　书里说：“蟒蛇会把猎物整个吞下去，连嚼也不嚼。之后它们就动弹不了了，会睡上六个月的时间来消化。”于是丛林中的奇遇使我陷入了深深的思考。此后，经过彩色铅笔的一番涂涂画画，我也成功地画出了我的第一幅图画。我的“一号作品”，它看上去是这样的：

　　我把我的杰作给那些大人们看，问他们觉不觉得这幅画吓人。可是他们回答道：“吓人？一顶帽子有什么吓人的？”。其实我画的并不是一顶帽子，而是一条巨蟒正在消化一头大象。但是既然那些大人们看不懂，我只好另外画了一幅：我画了巨蟒肚子里的情况，这样他们就能看得清楚了。大人们总是需要解释。我的“二号作品”是这样的：

而这一次大人们的反应是，劝我把这些巨蟒的画，不管是外观图还是内视图，统统都放一边去，好好地去学习地理、历史、算术和文法。就这样，六岁的时候，我放弃了当画家这个也许十分有前途的职业。我的"一号作品"和"二号作品"都失败了，这叫我十分灰心。大人们自己永远都没法明白一些事情，而小孩们要一直不停地解释给他们听也是一件很烦人的事情。

所以之后我就选了另外一个职业，我学会了开飞机。我几乎飞到过世界的每一个地方；地理也的确是对我十分有用。我只要随便一瞥就能分清楚哪是中国和哪里是亚利桑那州。如果在晚上迷失了航向，这些知识是非常宝贵的。在生活里我同许多正经人打过交道。我也在大人们中间生活过很长一段时间。我曾仔细地观察过他们，可我对他们的印象却没有多大的改变。

每当我遇到一个看上去聪明的人，我就会给他看我一直保存着的"一号作品"。这样，我可以试着知道他是不是一个真的善于理解的人。可是，不管是谁，男的也好女的也罢，都会说："这是一顶帽子。"之后我就不会跟那个人提起巨蟒、原始森林、或者群星之类的事情了。我会让自己去迁就他们的水平，会跟他谈谈桥牌、高尔夫、政治和领带之类的。而那些大人也会为能遇上我这样一个聪明的人而感到很高兴。

第二章

所以我一直独自生活，没有一个可以真正和我说得上话的人，直到六年前。那一次，我的飞机在撒哈拉沙漠发生了意外，引擎坏了。当时身边既没有机械师，也没有乘客，我只能自己一个人努力地试着修理。那真是一件生死攸关的事情，我带的水甚至不够喝一个星期。

于是，第一晚，我就睡在这沙漠上，远离人烟，比汪洋大海中一个小救生筏上的落难水手更孤独。因此，第二天拂晓，当我被一个奇怪的小小的声音吵醒时，你可以想象我有多么吃惊。

那个小声音说道："请给我画一只绵羊吧！"

"什么！"

"给我画一只绵羊！"

我跳了起来，像被雷击中一样。我使劲揉了揉眼睛，仔细地环顾了一下周围，看到了一个十分特别的小人儿，正站在那里十分严肃地看着我。这是我后来给他画得最好的一幅画像，当然我的画显然比真人逊色很多。

可那也不是我的错，我六岁的时候，那些大人们就使我对绘画生涯失去了勇气，再说我也从没学过画画，除了那个巨蟒的外观图和内视图。

现在我瞪着眼前这个突然出现的幽灵似的小人，惊诧得眼珠子都要掉出来了。别忘了，我可是在远离人烟好几千里之外的沙漠上。而这个小人儿看起来却既不像在这漫漫黄沙中迷了路，也丝毫没有困乏、饥渴或害怕的样子。他一点也不像是在这人迹罕至的荒漠之中迷了路的孩子。

当我终于缓过神来可以说话了，我就问他："你在这儿干什么呢？"而他再一次回答我，说得很慢，就好像在说一件天大的事一样，他说道：

"请你给我画一只绵羊……"

当事情太过神奇的时候，你是不敢不服从的。尽管这在我看来很荒诞，在荒无人烟的地方，冒着死亡的危险，我还是拿出了口袋里的纸和圆珠笔。而后我想起自己只学过地理、历史、算术和语法，于是我告诉小家伙（有一点点生气地）说我不会画画。"没关系啊，给我画只小绵羊……"但我从来没有画过小绵羊。所以我就给他画了我画得最多的画中的一幅，就是那幅巨蟒的外观图。可那小家伙的反应却让我惊讶得目瞪口呆："不不不！我不要肚子里有大象的巨蟒。巨蟒是很危险的动物，大象又太笨重。我住的地方，那里的东西都很小。我只要一只绵羊，给我画只绵羊吧。"

所以我就画了一只。他仔细看了看，然后说："不好，这只绵羊已经病入膏肓了。给我再画一只吧。"于是我就又画了一只。

　　我的这位朋友温柔又开怀地笑了，"你自己看看，"他说，"这才不是我要的小绵羊呢。这是一头公羊，头上还长着角呢。"

　　所以我又重新画了一幅，和前几幅一样又被拒绝了。"这只太老了。我要一只小绵羊，可以活得久久的。"

　　这一次我的耐心劲没了，因为急着想要修引擎。所以我匆匆地画了这个，同时扔给他一个解释：

　　"这是只箱子，你要的小绵羊就在里面。"

　　我的小评判员这回竟然笑逐颜开，这让我十分惊讶：

　　"我要的就是这样的！你说这只小绵羊会要很多很多草吗？"

　　"为什么？"

"因为我住的地方东西都很小……"

"那儿一定有足够的草的，"我说，"我给你的是一只很小的绵羊。"

他把头凑到画边上："没那么小。看！它他睡着了……"就这样，我认识了小王子。

第三章

我花了很长时间才搞清楚他是从哪儿来的。小王子问了我许多问题，可我问他的问题他却好像一个也没听见。他无意中说的一些话让我一点点地弄清了真相。

他头一次看见我的飞机时，比如（我就不画我的飞机了，那对我而言太复杂了），他问我："那是个什么东西？"

"那不叫'东西'。它会飞，是架飞机，是我的飞机。"然后我很骄傲地告诉他我会驾驶飞机。他听后，大叫道："什么！你是从天上掉下来的？"

"是啊。"我很谦虚地回答。

"哦！真好玩！"接着小王子就发出了一阵可爱的银铃般的笑声，这使得我很恼火。我可不想别人嘲笑我的不幸遭遇。

他接着说道："那么，你也是从天上来的！你是从哪个星球来的？"那一刻我隐约对他的来历抓住了一点线索。于是我就突然问道："你是从另一个星球来的？"但是他没有回答我。他轻轻地晃着脑袋，视线仍然没有离开我的飞机。"肯定啊，坐那个东西，你不可能是从很远的地方来的。"然后他就陷入了深思，想了很久。之后他从口袋里把我画的绵羊掏出来，看着他的宝贝，又出了神。

你可以想象这番关于"外星球"的模棱两可的话让我有多么好奇。因此我做了很多努力，试图发现更多线索。

"我的小人儿，你从哪儿来的？你所说的那个'我住的地方'究竟在哪里？你要把你的小绵羊带到哪里去？"

他沉默了许久，回答道："你给我画的那个箱子真不错。这样晚上小绵羊就能把它当作家了。"

"正是这样。如果你乖的话，我就再给你画根绳子，再加根拴它的杆子，这样白天的时候你就可以拴住它。"

但是小王子听了我的话之后显得十分震惊："拴住它！多奇怪的主意！"

"可你要是不拴住它，"我说道，"它会跑到别的地方去，会不见的。"

我的这个朋友又发出一阵清脆的笑声："可你觉得它能跑到哪儿去呢？""哪里都有可能。它会一直向前跑的。"

这时小王子郑重其事地说："没有关系，我住的地方，所有的东西都很小！"也许是有点伤感，他又接着说道："一直向前走，也没人能走很远……"

第四章

于是我了解到了第二件很重要的事情：小王子来自一个跟房子差不多大的星球！这倒不怎么出乎我的意料。我明白，除了地球、木星、火星、金星之类的我们命名的比较大的星球以外，宇宙中还有其他成百上千的星球，其中有一些就十分小，小到用望远镜都很难观察到。

当某位天文学家发现了一颗这样的小行星时，他没有给它命名，而只是给行星一个编号，比如，有可能叫作"325号小行星"。

我有重要的理由相信小王子来自一颗叫做B-612的小行星。这颗小行星只在1909年被土耳其的一位天文学家通过望远镜观测到过一次。有了这个发现之后，这位天文学家就在一个国际天文学大会上公布了他的发现，并给出了很好的论证。可是由于他穿的是土耳其的服装，所以没有一个人相信他所说的话。大人们就是这样的……

不过，幸运的是，为了小行星B-612的声誉，土耳其的一个统治者制定了一条法律，规定大家必须穿欧式服装，否则就是死罪。所以当1920年这位天文学家身着漂亮得体的西装再一次论证他的发现时，所有人都认同了他的发现。

　　我给你讲这颗小行星的细节，还把它的编号都告诉你，都是因为那些大人们的缘故。当你告诉他们你交了一个新朋友之后，他们从来都不问你那些真正重要的事。他们从来都不会问你："他的声音听上去是怎么样的？他最喜欢些什么游戏？他收集蝴蝶标本吗？"相反的，他们会问："他多大了？有几个兄弟？他体重有多重？他爸爸赚多少钱？"

　　只有通过这些数字他们才会觉得是完全了解了这个人。

　　假如你对大人们说："我看见了一幢很漂亮的玫瑰色的砖块砌成的房子，窗子上长着天竺葵，屋顶上还有鸽子。"那些大人们还是对那幢房子一点概念都没有。

　　你应该对他们说："我看见了一幢值两万美金的房子。"然后他们就会惊呼："哦，多漂亮的房子啊！"就是因为这样，所以你如果对他们说："真的有小王子存在，因为他很迷人，他开心地笑，他想要一只绵羊，这就是证明他存在的证据。"你这样对大人们说有什么用呢？他们会耸耸肩，把你当成一个小孩子。可是如果你告诉他们："他是从B-612号小行星上来的。"然后他们就会很信服，也不会问你一堆问题。他们就是那样的。你该尽量地少跟他们顶撞。孩子们总该对大人们表现得宽容些。当然，对于我们这样懂得生活的人，数字就不是什么大不了的东西了。

　　我应该赶个时髦，用童话的方式开始讲这个故事。我本该说："很久很久以前，有一个小王子，住在一个小星球上。那个星球比他自己大不了多少。小王子想要一只绵羊……"

　　对于那些懂得生活的人，这样的开头会让我的故事听起来更可信。但是我并不希望别人马马虎虎地读我的书。这些回忆已经叫我够痛苦了。我的朋友带着他的小绵羊离我而去已经有六年了。我在这里写他的故事，就是为了让自己不忘记他。忘记一个朋友是一件伤心的事情。不是每一个人都有过真正的朋友。如果忘记了他，我就会变得像那些大人们一样，只对数字感兴趣。正是由于这个原因，所以我才买了一盒彩笔和几支铅笔。

像我这样的年纪已经很难再去重新开始画画了，况且除了六岁时画过的那两幅巨蟒的内视图和外视图，我再也没有画过任何的图画。当然我会尽可能地把画画得真实一些，可也不保证一定成功。有一张画得还行，另一张就画得跟实际一点也不像。画也有很多错，小王子的身高就是，有的画得太高了，有的却又画得矮了点。他衣服的颜色我也不是很肯定。我在尽全力，一点一点摸索着，时好时坏，希望大体上差不多。在有些重要的细节上我也会出错，但那也不是我的问题。我的朋友从来都不跟我说清楚任何事情。他大概以为我跟他一样。可我，唉，其实并不知道怎样透过箱子板看到里面的羊。可能我也有点像那些大人一样吧。我总会老的。

第五章

每一天，我都能从我们的谈话里更多地了解到一些关于小王子的事情，关于他的星球，他的出走，他的旅途。这些事情都是从他偶然的谈话中慢慢才知道的。就这样，到了第三天，我知道了猴面包树会造成的大灾难。

这一次，跟以前一样，也是因为绵羊的事情我才知道的。因为小王子突然问我，看起来好像很担心，

"是真的吗？绵羊会吃小灌木？是真的？"

"是真的呀。"

"啊，我真开心！"

我不明白为什么绵羊吃小灌木这件事有这么重要。不过小王子接着又说："这样的话，他们也会吃猴面包树啰？"我向小王子指

出猴面包树并不是小灌木，恰恰相反，那种树像城堡一样高，即使他带着一群大象，它们也没法吃完一棵猴面包树。

一群大象的说法使小王子笑了。"我们可以把它它们一只一只往上叠起来，"他说道。不过之后他又说了一句十分有道理的话："在猴面包树长成大树之前，也只有小小的一点点。"

"那倒是真的，"我说。"不过你为什么想要绵羊去吃掉猴面包树的幼苗呢？"

他立刻回答我，"哦，这还用说么！"他说这话就好像这是件显而易见的事。我就只好绞尽脑汁地去想明白这个问题了。

确实，就我所知，在小王子居住的星球上，就像在其他所有的星球上一样，植物有好有坏。好的植物有好的种子，不好的植物有不好的种子。不过种子是看不见的，他们都睡在很深很深的黑漆漆的地下，直到其中一粒种子忽然想要苏醒。然后这粒小种子就开始舒展身子，起初还有一点腼腆，向着太阳长出一点可爱的小嫩苗。如果只是萝卜或者玫瑰花的小苗，那就让它自由地生长吧。可如果是不好的植物，那就该马上除掉它，越快越好，第一眼认出来的时候就该动手。

在小王子居住的星球上有一些很可怕的种子，那就是猴面包树的种子。那个星球的泥土里有很多很多这种种子。假如发现得不及时，那猴面包树就再也没法除掉了。它会长满整个星球，它的根会把星球穿透。假如星球太小，猴面包树又太多的话，它们就会把星球弄得四分五裂……

"这是一个纪律问题。"小王子后来跟我说。

"当你早上洗漱完了，就该去梳理你的星球了，就这样，要很细心。你一定要及时地拔掉所有猴面包树的幼苗。起初它们和玫瑰的幼苗很像，但是一旦把它们分辨出来了，就一定要立即把它们拔掉。这个活儿很乏味，"小王子说，"可是很简单。"又有一天他

跟我说："你一定要画一幅好看的画，这样你的星球上的小孩子们就能看明白究竟是怎么一回事了。那对他们以后出去旅行会很有用的。"

"有时，"他接着说，"把一件工作推迟点做也不会有害处。可是像猴面包树这样的事情，一旦拖延，就会后患无穷。我就知道有一个星球上住着一个懒家伙，他放过了三棵小树苗……"

所以，就像小王子对我说的那样，我画了一幅那个星球的图。我并不喜欢说教的口气，可是猴面包树的危险鲜为人知，而这样假如一旦在一颗小行星上迷了路就会十分危险，所以我只得打破惯例。

"孩子们，"我直接地说，"小心猴面包树！"我的朋友们和我一样，已经处在危险边缘很久了，却从来都不知道这个危险，所以我才为他们花了这么大的功夫画这幅画。

虽然有些麻烦，不过我提出的这一教训还是值得的。也许你会问我："为什么书里别的图画都没有这幅猴面包树画得这么好、令人印象这么深刻呢？"答案很简单。我努力了，可是别的画都画得不太成功。而当画这些猴面包树的时候，我是在被一种刻不容缓的力量所激励着。

第六章

啊，小王子！我开始一点点地明白了你那忧郁生活的秘密……有很长一段时间，你惟一的乐趣就是看着日落享受着平静的喜悦。

第四天的早晨，我又了解到了一些新的细节。你告诉我：

"我很喜欢落日。来，现在我们一起来看落日吧。"

"可我们得等着。"我说。

"等着？等什么？"

"等日落啊。我们得等到太阳下山的时候。"

起先你显得很吃惊，然后就开始自顾自笑起来。你对我说道："我总是想着自己是在家里呢！"

就这样，大家都知道美国还是正午的时候，法国却是夕阳西下的时候。如果可以在一分钟内飞到法国，你就可以在刚过了正午时分马上看到夕阳西下。不幸的是，法国离得太远了。可是在你那小小的星球上，我的小王子，你所需要的就只是把坐椅挪几步，就可以在喜欢的时候看到夕阳西下，黄昏到来……

"有一天，"你告诉我，"我看过四十四次日落！"

过了一小会儿，你接着说道："你知道，当一个人不开心的时候，就会喜欢上落日……""那看了四十四次日落的那天你很不开心啰？"我问。

但是小王子没有回答。

第七章

第五天的时候——像以前一样，还是因为绵羊的缘故——关于小王子生活的谜团又解开了一点。像是已经在脑海中沉思了许久一样，他突然莫名其妙地问我：

"羊——如果吃小灌木的话，是不是也会吃花？"

"羊，"我说，"碰见什么吃什么。"

"带刺的花也吃？"

"当然，带刺的也吃。"

"那么那些刺——有什么用呢？"

我不知道。当时我正忙着把引擎上一个很紧的螺丝给拧下来。我很着急，显然我的飞机问题很严重。剩下的饮用水也很少了，这使我十分担心。

"那些刺——有什么用呢？"

小王子问了问题就一定要得到答案才罢休。而我，正在为那个螺丝发愁，所以就把脑海中第一个想到的答案告诉了他：

"刺什么用都没有的。花上带了刺只是因为那是一朵不好的花！"

"哦！"

大家都不说话了，沉默了一阵后，小王子终于又回过神来，有些不满地冲我说：

"我不相信！花儿都很弱小，很单纯。她们只是想尽可能地保护自己，觉得有了刺就有了保护自己的武器……"

我没有回答。那时候我正在自顾自地想着："如果这个螺丝还转不动，我就拿锤子把它打出来。"但小王子又一次打断了我的思路。

"你真的觉得花儿——"

"哦，不！"我大声叫道，"不，不，不！我什么都不知道！我想到什么就说了什么。你难道没看见吗——我很忙，有很多正事要做！"

他瞪着我，有如受了晴天霹雳一般。

"正事！"

他就在那儿看着我，我的手里拿着锤子，手指上满是黑黑的机油，正伏在一个在他看来奇丑无比的东西上……

"你的口气就像那些大人们一样！"

这让我觉得有点儿不好意思。不过他毫不留情地继续说道："你们总把所有的事情都混为一谈……把所有的事情都搞混……"

他是真的很生气，在微风中，晃着金色的卷发。

"我知道有个星球上住着一个红脸的先生。他从来都没闻过一朵花，从来没看过一颗星星，也从来没有爱过任何一个人。他这辈子除了把一些数字加加减减以外，别的什么都没干过。他整天翻来覆去说的一句话就和你说的一样：'我正忙着做正事呢！'那使得他傲气十足。可他简直就不是人——他是一个蘑菇！"

"一个什么？"

"一个蘑菇！"

小王子那时气得脸都发白了。

"几百万年以来花儿都一直长着刺，羊也照样会吃她们。搞清楚为什么花儿要费这么大的劲长些对自己并没有用处的刺，这难道不是正事吗？难道羊和花之间的战争就不重要吗？这难道不是比红脸的大胖子的帐更要紧的正事吗？如果我知道——我自己知道的——一朵世间独一无二的花，只长在我的星球上的花，可哪天早上就能被小羊随便一口给毁了，小羊甚至都不知道自己做了些什么——哦！你竟然觉得这个不重要！"

他的脸渐渐由白转红，接着说道：

"如果有人爱上了这朵花，这朵在亿万颗星星上的惟一的花，那他看着这群星星就会觉得很幸福。他可以跟自己说，'在其中一颗星星上，我的花就在那里……'可是要是羊吃掉了那朵花，瞬间他的星空就会变得黯淡……而你竟然觉得这不重要！"

他已经泣不成声，说不下去了。

夜幕降临了。我把手里的工具扔到了一边，我的锤子，螺丝，甚至还有饥渴，还有死亡，都扔到了一边。在一颗星星，一个星球，我的星球，地球上，有一个小王子需要安慰。我把他抱在怀里，轻轻摇着，对他说：

"你爱的花儿不会有危险的。我会给你的小羊画一个口罩，会给花的边上画上栏杆。我会——"

我不知道该对他说什么好。我觉得自己很笨拙。我不知道自己该怎样才能和他一样，达到他的境界，然后再和他一起并肩前行。

泪水的世界是多么神秘啊。

第八章

　　没多久我就对这朵花有了更多的了解。在小王子的星球上，那里的花一直都非常简单，就只有一层花瓣而已；长得也很小，不占什么地方；也从来不去打搅别人。清晨她们会绽放在草丛中，而到了夜晚她们就静悄悄地凋谢。可是有一天，不知道从哪儿来了粒种子，长出了一株新的幼苗；小王子很仔细地观察过这株小幼苗，它和他星球上的其他小幼苗一点也不像。

　　你看，这可能是一种新的猴面包树。不过枝叶很快就停止了生长，开始孕育一朵鲜花。小王子，先是看到了一个很大很大的花蕾，立刻就感觉到那花蕾里正孕育着一个奇迹。可是这朵花儿躲在她的绿闺房里打扮了很久都不满足。她精心地选择自己的颜色，一片片地调整花瓣的位置，她可不想像丽春花一样皱巴巴地去到外面的世界。她希望自己出现的时候光彩四射。是的，她是很爱美的！她一天又一天地悄悄装扮着自己。终于有一天清晨，恰在日出时分，她绽现了身姿。

　　在经过了这么多的精心准备之后，她打着哈欠说道："啊！我才刚睡醒。请你原谅我。我的花瓣还有些乱……"可是小王子抑制不住爱慕之情，说道：

　　"噢！你真漂亮啊！"
　　"难道不是吗？"花儿甜甜地
回答道，"我是和太阳一起出生的……"
　　小王子一下子就猜到她一
点儿也不谦虚，可是她是多么地动人啊！

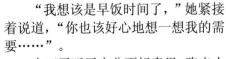

"我想该是早饭时间了，"她紧接着说道，"你也该好心地想一想我的需要……"。

小王子听了十分不好意思，跑出去找喷水壶了。

就这样，他照顾着花儿；而她的虚荣心也很快开始折磨他。假如知道了事实真相的话，会有些让人为难。

比如有一天，她说到她的四根刺的时候，她告诉小王子："让老虎们张牙舞爪地过来吧！"

"在我的星球上没有老虎，"小王子反驳道，"而且，再怎么说，老虎也是不吃草的。"

"我不是草，"花儿甜甜地回答。

"请原谅我……"

"我一点都不害怕老虎，"她继续说道，"可我怕风，你没给我准备个屏风吧？"

"怕风，对于一株植物来说，可真不幸，"小王子心想，"这朵花可真娇贵啊……"

"晚上的时候我想要你把我放进玻璃罩子里。你住的地方很冷。在我来的那个地方……"可说到这儿的时候她就打住了。她来的时候也只是一颗种子而已，是不可能知道其他世界的事情的。

被人发觉她在撒谎，令她有些尴尬，她咳嗽了两三声，好让小王子觉得理亏。

"屏风呢？"

"我正要去找呢，你就跟我说话了……"

她马上又多咳嗽了几声，好像刚才那样让他感到后悔。小王子本来是一番好意地爱着她的，听了这番话，也不由得开始对她产生了怀疑。他对她的无关紧要的话看得太重，这使得他自己很不开心。

"我不该听她的话的。"有一天他向我诉说道。

"绝不该听那些花儿的话。你应该只是看着她们，感受她们的芬芳气息。我的花儿让我的星球芳香四溢，可我却不知道去享受她的美好。说什么爪子的事，本该让我心里充满爱怜和同情的，可却让我这么心烦。"

他继续倾诉道："事实上我那时什么都不懂！我应该看她的行动而不是听她的言语。她使我的生活变得芬芳多彩。我真不该离开她跑出来……我应该猜到她的小把戏后头的感情。花儿都是这样自相矛盾！可我那时还太年轻，不知道该怎样去爱她……"

第九章

　　我相信他一定是借了候鸟迁徙的机会跑出来的。离开的那个清晨，他把自己的星球收拾得井井有条。他认真地打扫了他的活火山。他有两座活火山，早上可以很方便地用来热早饭。

他也有一座死火山。可是，照他的说法，"谁也不知道哪天会变成活火山吧！"所以他也把那座死火山打扫干净了。打扫干净了，火山内部就会一点一点地慢慢燃烧，不会猛然喷发。火山喷发就像烟囱里的火焰一样。

在地球上，因为我们长得太小，没办法去清扫我们的火山，所以它们才不断地给我们带来麻烦。小王子带着有点沮丧的心情把最后的几棵猴面包树的幼苗给拔了。他相信自己再也不会回去了。可是在这最后的一个清晨，所有这些熟悉的例行公事都显得弥足珍贵。

当他给花儿最后一次浇了水，准备把她放到玻璃罩子下的时候，他发觉自己的眼泪在打转。"再见了，"他对花儿说。可她并没有回答。"再见。"他又说了一遍。花儿咳嗽了几声，但并不是因为感冒引起的。

"我以前太傻了。"最后，她对他说，"请你原谅我。你一定要幸福……"花儿并没有责怪他，这使他感到很惊讶。他不知所措地站在那里，手里还举着玻璃罩子。他不太明白花儿为什么会这样温柔而平静。

"当然，我爱你，"花儿告诉他，"你却一直都不知道。这都是我的错。不过没关系了。可你，你就像我一样傻。你一定要幸福……把玻璃罩子放下吧。我以后也不需要它了。"

"可是有风……""我的感冒并不严重……晚上的凉风对我有好处的。我是一朵花啊。"

"可是有虫子和野兽……""当然，如果我想要和蝴蝶做朋友的话，就得要能忍受毛毛虫。它们看上去都很美丽。除了蝴蝶和毛毛虫，还有谁会来看我呢？你会离得很远很远……至于大的野兽，我一点都不害怕，我有我自己的爪子。"

然后，她天真地给他看她的四根刺。

接着她说："别这样徘徊不决了。既然你已经决定了要走。你走吧！"

因为她不想让他看到她在哭。她是一朵如此骄傲的花……

第十章

他了解到附近的小行星还有325号、326号、327号、328号、329号和330号。于是他开始访问这些小行星以增长见闻。

他到达的第一个行星上住着一个国王，穿着贵重的紫色貂裘，坐在一把简单却威严的宝座上。

"啊！来了个臣民，"看见小王子到来时，国王大喜道。

小王子心里纳闷：

"他是怎么认识我的？以前又没见过我。"

他不知道，对国王们而言，这个世界十分简单，除了自己以外其他所有人都是臣民。

"走过来点，让我好好看看。"国王十分得意，因为他终于成了某个人的国王。

小王子四处张望想找个地方坐下来，可是整个星球都被国王那华美的貂裘给盖住了，他只好一直站在那里。因为很累，所以他打了个哈欠。

"在国王面前打哈欠是有违礼节的，"国王说道，"我禁止你打哈欠。"

"我没办法，实在忍不住，"小王子羞愧地答道，"我长途跋涉来到这里，一直都没有睡觉……"

"啊，那么，"国王说，"我命令你再打一个。我已经好几年没见过别人打哈欠了。我觉得打哈欠还挺好玩的。来，快点！再打一个哈欠！这是命令。"

"我有点害怕……我打不出来了……"窘迫至极的小王子嗫嚅道。

"嗯，嗯！"国王应道，"那我，我命令你有时打个哈欠，有时……"

他看起来有些恼怒，说得也语无伦次。因为国王坚持自己的威严必须得到尊重，绝不能忍受别人的不服从。他是一个拥有绝对权力的君王。但是因为他是一个很好的人，所以他下的命令都是合情合理的。

举例来说吧，他会说："如果我命令一位将军把他自己变成一只海鸟，而这位将军不服从我，那就不是将军的错，而是我的错。"

"我可以坐下来吗？"小王子怯声问道。

"我命令你坐下来。"国王这样回答，一边庄重地把自己的貂裘折过去一点。

可是小王子想：这星球这么小，国王究竟有什么可以统治的呢？

"陛下，"他对国王说，"请原谅，我想冒昧地请问您一个问题……"

"我命令你问我问题。"国王抢着答应了他。

"陛下——您统治些什么呢？"

"统治一切，"国王威严而又简单地答道。

"统治一切？"

国王做了个手势，意思是，不仅他的星球，还有其他的星球，所有的星球都归他管。

"所有的都归你统治？"小王子问。

"所有那些都归我管。"国王回答。

他的统治不仅仅是绝对，而且是对整个宇宙的统治。

"星星们都服从你？"

"那当然，"国王说，"它们立即服从。我是绝不能容许有不从的。"这样的权力令小王子惊叹不已。如果他有这样的权威，他就可以在一天中不止看四十四次夕阳西下，而可以看七十二次，甚至一百次，两百次，连椅子都不用动。他想起了被自己遗弃的星球，不由得有些伤感，于是便鼓起勇气向国王请求道：

"我想要看日落……求您……命令太阳下山吧……"

"如果我要求一位将军像蝴蝶一样从一朵花飞到另一朵花，或者要他写一出悲剧，或者要他把自己变成一只海鸟，而这位将军没法执行他所接到的命令的话，那是我们两个谁不对？"国王问道，"是那位将军还是我？"

"你。"小王子很肯定地说。

"正是如此。你必须要求别人去做他们能做到的事情，"国王继续说，"权威首先应当是合情合理的。如果你要求你的百姓去投海，他们就会起来革命。我之所以有权要求大家服从我，是因为我的命令都是合理的。"

"那我的日落呢？"小王子提醒道——只要他提出了问题，就从来都不会忘记这问题。

"你会看到日落的。我会让太阳落山的。不过，根据我的管理科学，得等到时机成熟时才行。"

"那是什么时候呢？"小王子又问。

"嗯，嗯！"，国王在回答之前先翻了翻一本厚厚的历书，"嗯！嗯！应该会在大概——大概——应该会在今晚大概七点四十分的时候。你就能看到我的命令被执行得多好。"

小王子打了个哈欠。他遗憾自己看不到日落，于是开始感到有一点点无聊。

"在这儿我没什么别的可干，"他对国王说，"我又要上路了。"

"不要走，"这个好不容易有了一个臣民的国王说，"别走，我让你做大臣！"

"什么大臣？"

"司法大臣！"

"可这儿一个要审判的人都没有！"

"我们不知道，"国王向他说道，"我还没把自己的王国游个遍呢。我很老了，这里没地方停放马车，而自己走又太累。"

"哦，可我已经看过了！"小王子一边说，一边转过头去向星球的另一边瞥了一眼。那一边和这一边一样，根本没有人……

"那就审判你自己吧，"国王答，"那是最最难的事情了。评判自己要比评判别人难得多。如果你能正确地评判自己，那你就是一个真正智慧的人。"

"没错，"小王子说，"可我在哪里都能评判自己，不用住在这个星球上。"

"嗯，嗯！"国王说，"我有充分的理由相信在我的星球上有一只老鼠。晚上的时候可以听见它的声音。你可以审审这只老鼠。你可以时不时地判它一次死刑，它的小命都由你决定。不过每次你都应该赦免它，要有节制地对它，因为我们只有这么一只老鼠。"

"我，"小王子答道，"不想判任何人死刑。我想我现在该上路了。"

"不行！"国王说。

已经整装待发的小王子，不愿看到老国王伤心，于是说道：

"如果陛下希望命令立即得到执行，那您就应该给我下达一个合理的命令。您应该可以，比如说，命令我在一分钟之内离开。对我来说时机已经成熟……"

国王没有回答，小王子犹豫了一会儿，叹了一口气，就离开了。

"我让你做我的大使。"国王匆匆喊道。

他有一副很威严的派头。

"大人们可真奇怪。"小王子自言自语着继续他的旅途。

第十一章

第二个星球上住着一个自负的人。

"啊哈！有一个崇拜我的人来拜访我了！"他一见到小王子，还离着老远就嚷起来。

对于那些自负的人来说，其他的所有人都是自己的崇拜者。

"早上好，"小王子说，"你戴的帽子真奇怪。"

"这顶帽子是致意用的，"这个自大狂回答，"当大家为我欢呼喝彩的时候，我就把这顶帽子举起来行礼致意。不过，不幸的是，从来没有人经过这里。"

"是吗？"小王子完全听不懂那个自大狂在说些什么。

"快拍手，一只手拍另一只手。"这个自大狂向小王子说道。

小王子便拍起手来。自负的人举起帽子，致以谦逊的问候礼。

"这可比拜访那个国王要有意思多了，"小王子自言自语道，他又一次开始鼓掌，一只手拍另一只手。

自大狂又一次脱帽致意。

这样练习了五分钟之后，小王子对这个单调的游戏感到厌倦了。

"怎么才能让你的帽子掉下来？"他问。

可这个自负的人没听见他的话。自负的人们除了表扬的话，其他的话是一句都听不进去的。

"你真的很崇拜我吗？"他问小王子。

"你的'崇拜'是什么意思？"

"崇拜就是你觉得我是这星球上最帅、穿得最漂亮、最有钱、也最聪明的人。"

"可在你的星球上就只有你一个人啊！"

"帮我个忙吧。就像刚才那样崇拜我。"

"我崇拜你，"小王子微微耸了耸肩，"可你为什么对这个这么感兴趣？"

于是小王子走了。

"大人们还真是奇怪。"他一边想着一边继续他的旅途。

第十二章

下一个星球上住着一个酒鬼。

这次的造访很短，可是却让小王子十分的沮丧。

"你在那里做什么？"他问那个酒鬼。小王子看见他的时候，他正默默地坐在一堆酒瓶子前，这些酒瓶有些是空的，有的还是满的。

"我在喝酒。"酒鬼忧郁地回答。

"你为什么喝酒呢？"小王子问。

"为了忘却。"酒鬼说。

"忘却什么？"小王子问，他已经觉得那个酒鬼很可怜。

"忘却我的羞愧。"酒鬼垂着头坦言说道。

"羞愧什么？"小王子想要帮助他，所以继续问下去。

"因为喝酒而羞愧！"酒鬼的话说完了，之后就再也没说话。

小王子困惑地走了。

"大人们真的是非常非常奇怪啊。" 他一边想着一边继续他的旅途。

第十三章

第四个星球是属于一个商人的。这个人很忙很忙，忙到小王子到来的时候他连头都没有抬一下。

"早上好，"小王子对他说，"你的香烟熄了。"

"三加二等于五。五加七等于十二。十二加三等于十五。早上好。十五加七等于二十二。二十二加六等于二十八。我没时间把它重新点着。二十六加五等于三十一。哎呀！那就是五亿零一百六十二万两千七百三十一。"

"五亿什么？"小王子问道。

"呃，你还在呢？五亿一百万……我不能停下来……我有太多事情要做了！我在忙正经事，没有功夫乱七八糟地聊。二加五等于七……"

"五亿一百万什么啊？"小王子又重复了一遍。他从来都不会放过自己提出的任何一个问题。

商人抬起头。

"我在这星球上住了五十四个年头了，中间只被打断过三次。第一次是二十二年前，不知道从哪儿掉下来一只晕乎乎的鹅，它发出一种可怕的噪音，害得我在计算时出了四个错误。第二次是十一年前，我的风湿病发作了。我锻炼得不够，根本没时间逛来逛去。第三次——就是现在了！刚才算到五亿一百万……"

"上百万的什么？"

商人突然意识到如果自己不回答这个问题，就永远也别想安宁。

"上百万的小东西，"他说，"你有时可以在天空中看见的。"

"苍蝇？"

"哦，不。闪闪发亮的小东西。"

"蜜蜂？"

"啊，也不是。小的金色的东西，那些让懒人们游手好闲做梦的东西。我呢，我就只关心正经事。我的生活里根本没有游手好闲做梦的时间。"

"啊！你说的是星星？"

"对了，就是星星。"

"你要拿这五亿颗星星干什么？"

"五亿零一百六十二万两千七百三十一。我只关心正事。我很精确的。"

"你要拿这些星星干什么？"

"拿它们来干什么？"

"对啊。"

"没什么。它们都是我的。"

"这些星星都是你的？"

"是啊。"

"不过我已经见过一个国王，他——"

"国王并不拥有什么，他们只是统治。这是两个不同的概念。"

"你拥有那些星星有什么好处呢？"

"它们让我变富。"

"富了又有什么好呢？"

"富了就可以买别的星星了，如果有别的星星被发现了的话。"

"这个人，"小王子心想，"他的逻辑有点像那个可怜的酒鬼……"

不管怎么说，他还有一些问题。

"人怎么可能拥有星星呢？"

"那它们是属于谁的？"商人不耐烦地回答了一句。

"我也不知道。谁都不属于。"

"那它们就归我了，因为我是第一个想到的人。"

"这样就可以了？"

"那当然。要是你发现一颗没有主人的钻石，那它就是你的。要是你发现一个没有主人的海岛，那它就是你的。要是你能在别人之前先想到一个点子，你申请了专利，那点子就是你的了。所以我就拥有那些星星，因为在我之前没有别人想到要占有它们。"

"你说得对，"小王子道，"那你要它们来干什么呢？"

"我管理它们，"商人回答，"我把它们数一遍再数一遍。这难度很大的。不过我天生就是一个只对正事感兴趣的人。"

小王子依旧不满意。

"如果我有一块丝巾，"他说，"我可以把它围在脖子上，随身带着它。如果我拥有一朵花，我可以把她摘下来随身带着她。可你不能从天上把星星摘下来……"

"不能。可我可以把它们放到银行去。"

"那是什么意思？"

"意思就是，我在一张小纸上写上我有多少颗星星。然后把纸放到抽屉里，再把抽屉锁起来。"

"这样就可以了？"

"这就可以了。"商人说。

"真有意思，"小王子想，"这其实蛮有诗意的。只不过不是什么要紧的事情。"

对于正经事，小王子和其他大人们的想法是不一样的。

"我拥有一朵花，"他继续对这商人说，"每天都给它浇水。我拥有三座火山，每星期都给它们打扫，（那座不活动的火山我也打扫的，说不定哪天就复活了）。我拥有花和火山，这对我的火山有好处，对我的花也有好处。可是你对这些星星却是一点用处都没有……"

商人张大了嘴巴，却无言以对。于是小王子就离开了。

"大人们真的统统都很奇怪。"他只是这么简单地嘀咕了一句，就又踏上了旅途。

第十四章

第五颗星球很奇怪，是最小的一颗星球了，那上面只容得下一盏路灯，和一个点路灯的人。小王子怎么也解释不了为什么在茫茫天际中，一个荒无人烟，连房子都没有一间的星球上会有路灯和点路灯的人。可尽管如此，他还是告诉自己：

"这个人大概不太正常吧。不过比起那个国王、那个自大狂、那个商人，还有那个酒鬼来，这个人也不算很不正常吧。至少他的工作有意义。他点亮路灯的时候，就好像赋予了一颗星星或一朵花以生命。当他熄灭路灯的时候，就好像让花儿或是星星安然入睡。这真是件美好的工作。既然是美好的，那当然是有意义的。"

当他到达这个星球的时候，很恭敬地向这个点路灯的人行礼致意了。

"早上好，为什么你刚才把路灯给熄灭了？"

"这是命令，"那人答道，"早上好。"

"什么命令？"

"命令我该熄灭路灯。晚上好。"

接着他又把路灯给点亮了。

"可你为什么又把它给点亮了？"

"这都是命令。"点灯人回答。

"我不明白。"小王子说。

"没什么要弄明白的，"点灯人说，"命令就是命令。早上好。"

然后他把路灯又熄灭了。

接着他拿一块红格子手帕擦了擦额头。

"我接手了一份苦差事。以前还挺合理的，我在清晨熄灭路灯，晚上再把它点亮。其他的时间，白天我可以休息，晚上就能睡觉。"

"后来命令变了？"

"命令一直没变，"点灯人说，"这简直就是个悲剧！这个星球一年比一年转得快，而命令却一点都没变！"

"然后呢？"小王子问。

"然后——这颗星球现在每分钟就转一圈，我一秒钟休息的时间都没有了。每分钟我都得把这路灯给点亮，然后再熄灭！"

"那还挺好玩的！你住的地方每一天就只有一分钟！"

"一点都不好玩！"点灯人说，"我们俩说话的这功夫，一个月就过去了。"

"一个月？"

"是啊，一个月。三十分钟，三十天嘛。晚上好。"

他又把灯给点亮了。

小王子看着看着，觉得很喜欢这个点灯人，因为他如此忠于自己的命令。他想起了自己某天拖着椅子找落日的事情，他想要帮助这位朋友。

"你知道，"他说，"我可以告诉你一个随时随刻想休息就能休息的法子……"

"我总是想要休息。"点灯人说。

因为一个人可以在忠于职守的同时，又想要偷懒。

小王子继续解释道：

"你的星球这么小，走三步就能绕上一圈了。你只要一直慢慢地向前走，就能总是沐浴在阳光下了。你想要休息的时候，就走几步——只要你愿意，天就可以总是亮着。"

"那对我也没什么大用，"点灯的人说，"我生平最喜欢的就是睡觉了。"

"那你可真倒霉。"小王子说。

"我是很倒霉啊，"点灯人说，"早上好。"

然后他把灯熄灭了。

"那个人，"小王子自言自语着渐行渐远，"那个人一定会被其他那些人看不起的，那个国王啊，那个自负的人啊，那个酒鬼啊，还有那个商人，会看不起他的。不过对我来说，他是他们这些人中间惟一一个不愚蠢可笑的。可能是因为他考虑的是别的事情，而不仅仅是他自己吧。"

他有些遗憾地叹了口气，又自言自语道：

"在这么多人里，他是惟一一个可以和我做朋友的。只是他的星球真的是太小了，住不下两个人……"

不过小王子没有勇气承认，最让他舍不得离开这个星球的，其实是这个星球上每天一千四百四十次的日落！

第十五章

第六个星球是前一个的十倍大，上面住着一个老先生，他在写一本厚厚的书。

"哦，看！来了一个探险家！"当他看到小王子到来时，不由得大喊起来。

小王子在桌子前坐下，有些气喘吁吁。他已经走得太多，走得太远了！

"你从哪儿来？"老先生对他说。

"那本大书是什么？"小王子说，"你在干什么？"

"我是一个地理学家。"老先生对他说。

"什么是地理学家？"小王子问。

"地理学家就是那种知道所有山河、湖海、城镇、沙漠位置的学者。"

"那倒很有趣，"小王子说，"这里至少还有个真正的内行人！"他朝地理学家所住的星球环视了一周。那是他见过的最壮阔庄严的星球。

"你的星球真美丽，"他说，"这儿有海吗？"

"我不能告诉你。"地理学家说。

"啊！"小王子很失望，"那这里有山丘吗？"

"我不能告诉你。"地理学家说。

"那城镇、河流和沙漠呢？"

"我也不能告诉你。"

"可你是一个地理学家啊！"

"没错，"地理学家说，"可我又不是一个探险家。在这个星球上一个探险家都没有。地理学家不是跑出去探测城镇、河流、山丘、海洋和沙漠的。地理学家是很重要的，不能随便跑来跑去。地理学家不可以离开书桌。不过他在书房里接见探险家们。他会问探险家们一些问题，然后把他们对旅行的回忆写下来。如果这些人里有一个人的回忆比较有意思，那地理学家就会对那个探险家的品格再做一番调查。"

"那是为什么？"

"因为探险家说谎的话，地理学家的书就会遭殃。一个酒喝得太多的探险家也是如此。"

"那又是为什么？"小王子问。

"因为一个喝醉了的人眼前会出现重影，那么地理学家就会在实际只有一座山的地方标注上两座。"

"我知道有人，"小王子说，"会是个不太好的探险家。"

"那倒是有可能的。那么，假如这个探险家的品格优良，就要调查一下他的发现了。"

"亲自去看一看吗？"

"不，那样就太复杂了。不过可以要探险家拿出点切实的证据来。打个比方来说，假如探险家发现是一座大山，那就可以要他带点大石头回来。"

地理学家突然一阵兴奋。

"可你——你是从大老远来的！你是一个探险家！你该跟我说说你的星球！"

于是地理学家打开了他的记录本，削尖了他的铅笔。探险家们的口述先是用铅笔写的，直到他们拿出切实的证据来，才用钢笔写下来。

"如何？"地理学家期待地问道。

"哦，我住的地方，"小王子说，"不是很有意思的。那儿很小。我有三座火山。两座是活火山，另一座是死火山。不过也说不好哪天就活了。"

"说不好。"地理学家说。

"我还有一朵花。"

"我们是不记录花的。"地理学家说。

"那是为什么？那朵花是我的星球上最美丽的东西了！"

"我们不记录花卉，"地理学家说，"因为它们都很短暂。"

"'短暂'是什么意思？"

"地理书，"地理学家说，"是所有的书里最严肃的书，从来都不会过时。一座山基本不会变化它的位置，海洋也基本不会干涸。我们写的都是长久的事物。"

"但是死火山也会再复活的，"小王子打断了他，"'短暂'是什么意思呢？"

"不管火山是活动的还是不活动的，对我们来说都是一回事，"地理学家说，"我们关心的是山，这是不变的。"

"可是'短暂'是什么意思呢？"小王子又重复了一遍，他一生中只要提出了问题就不会放过。他又问了一遍。

"意思是'有很快就消失的危险'。"

"我的花有很快就消失的危险？"

"当然。"

"我的花是短暂的，"小王子自言自语，"她只有四根刺来对抗外界的侵害，而我却把她独自留在星球上！"

那是他第一次感到后悔。不过他又一次鼓足了勇气。

"您建议我现在该去哪个地方看看？"他问。

"地球，"地理学家回答，"那个地方很有名。"

于是小王子就离开了，心里想着他的花儿。

第十六章

接下来的第七个星球就是地球了。

地球可不是一个普普通通的星球！可以数得过来的就有一百一十一个国王（当然不会漏了黑人的国王们），七千个地理学家，九十万个商人，七百五十万个酒鬼，三亿一千一百万个自负的人——那就是说，有大概二十亿个大人。为了让你对地球的大小有个概念，我想告诉你：在有电以前，六大洲加起来一共需要维持四十六万两千五百一十一个人的点灯大军来点亮街边的路灯。

从远一点的地方望过去，那是十分恢弘壮观的场面。这支大军行动起来就像剧院里的芭蕾舞团一样有条不紊。先是澳大利亚和新西兰的点灯人点亮路灯，把路灯点亮之后，他们就去睡觉了。接下来是中国和西伯利亚人上场加入到舞蹈中来，之后他们也会退到幕后。随后出场的是俄罗斯和印度的点灯人，再后面是非洲和欧洲，再后面是北美，再是南美。他们从来不会弄错出场顺序，这真的很了不起。在北极管着那惟一一盏路灯的点灯人，和他在南极管着惟一一盏路灯的同行——只有这两个人可以不用过得那么辛苦认真：他们一年就只忙两次。

第十七章

　　当一个人想要显得风趣点，有时就会说得不太真切。我在跟你讲点灯人的时候就不是完全真实的。我意识到自己讲的会让那些对我们的星球不了解的人留下一个错误的印象。在地球上人类只占了很少的地方。如果地球上的二十亿居民全都聚集到一起站好，就像开大会一样，那就可以轻轻松松地放到一个二十英里见方的大广场上。所有的人都可以放到太平洋上的一个小岛上去。

　　你跟大人们讲那些，他们肯定不会相信的。他们会想像自己

占据了很广阔的地域。他们会想像自己和猴面包树一样重要。那你就该建议他们自己算一算。他们很喜欢数字，这会让他们很高兴。不过不要在这个额外的事情上浪费你的时间，没有必要。我想你们该相信我。当小王子到达地球的时候，他没有看到任何一个人，觉得很惊讶。他开始害怕，以为自己走错了地方。这时，沙地上有一团月光似的金色的东西穿过。

"晚上好。"小王子礼貌地说。

"晚上好。"蛇说道。

"我来的这个是什么星球？"小王子问。

"这是地球，这里是非洲。"蛇回答。

"啊！那地球上没有人吗？"

"这里是沙漠。沙漠上是没有人的。地球很大的。"蛇说。

小王子在一块石头上坐下来，抬眼向天空望去。

"我在想，"他说，"天空中的星星闪闪发亮是否是为了让我们有一天都能找到他自己的那一颗……看我的星球，它就在我们头顶上，可却离得这么远！"

"它很美，"蛇说，"你怎么会来这里？"

"我和一朵花闹了点别扭。"小王子说。

"哦！"蛇应道。

然后他俩都不做声了。

"人都在哪儿呢？"小王子终于又继续了对话，"在沙漠里可真有些孤独呢……"

"有人的地方也一样孤独。"蛇说。

小王子盯着他看了很久。

"你真是个有趣的动物，"他又道，"和手指差不多粗……"

"可我却比国王的手指更有威力。"蛇说。

小王子笑了。

"你并不很有威力。你连脚都没有，甚至不能去旅行……"

"我可以把你带到很远的地方，比船载你更远。"蛇说。

它盘在小王子的脚踝处，像一个金色的镯子。

"不管是谁，只要我碰一下就能把他们送回到来时的地方，"蛇又说，"不过你很纯洁，而且还是从别的星球上来的……"

小王子没有回答。

"你让我觉得很可怜——在这个花岗石构成的地球上,你是这么弱小,"蛇说,"我可以帮助你,如果有一天你十分的想念自己的星球,我可以——"

"哦!我很明白你的意思,"小王子说,"可是为什么你说话总是像在说谜语?"

"我可以揭开所有的谜语。"蛇说。

然后他俩又都沉默了。

第十八章

小王子穿行在沙漠中，只遇见了一朵花。那是一朵有着三片花瓣，一点都不起眼的花。

"早上好！"小王子说。

"早上好！"花儿应道。

"人们在哪里？"小王子礼貌地问。

花儿曾经见到一队商队走过。

"人们？"它回答，"我想应该只有六七个吧。我看见过他们，那还是几年以前的事情，可现在谁也不知道上哪儿去找他们了。风吹着他们到处跑。他们没有根，所以生活得十分艰难。"

"再见。"小王子说。

"再见。"花儿说。

The Little Prince

第十九章

　　那之后，小王子爬上了一座高山。他以前所知道的山就只有那三座火山，它们都只到他的膝盖。他以前就用那座不活动的火山做脚凳。"在一座这样高的山上，"他自言自语，"我应该可以一眼望见整个星球和所有的人……"可是除了几座如针尖似的山峰外，他什么都没有看到。

"早上好!"小王子礼貌地问候。

"早上好——早上好——早上好——"回音回答道。

"你是谁?"小王子问。

"你是谁——你是谁——你是谁?——"回音回答。

"做我的朋友吧。我很孤独。"他说。

"我很孤独——孤独——孤独——"回音回答。

"真是一个奇怪的星球!"他想,"这里又干燥又不平整,又粗糙又冷酷,人们一点想象力都没有,只是重复别人对他们说的话……在我的星球上有一朵花,她总是第一个说话……"

第二十章

小王子在沙漠、石块、雪地中走了很久很久,最后终于走到了一条路边。路都是通往人住的地方的。

"早上好。"他说。

他正站在一个花园前,里面满是盛开的玫瑰。

"早上好。"玫瑰们回答。

小王子凝视着她们。它们都和他的花长得很像。

"你们是谁?"他诧异地问道。

"我们是玫瑰。"玫瑰们回答。

于是他感到有些伤心。他的花曾告诉他，说自己这种花在宇宙中只有她这惟一一朵。而这里，就这一个花园里，就有五千朵这样的花，全都长得一样！

"她一定会很恼火，"他自言自语，"如果她看见那些……她一定会咳嗽得更厉害，然后假装快死了，这样就不会被人笑。而我应该假装照顾她康复——因为如果我不那样做的话，为了让我难堪，她一定真的会让自己死去……"

他继续想着："我以为自己很富有，拥有一朵全世界独一无二的花；可实际我只有一朵普通的玫瑰。一朵普通的玫瑰，三座只到我膝盖的火山——其中一座也许永远都不会喷发……那样我成不了一个了不起的王子……"

于是他躺在草丛中，哭了起来。

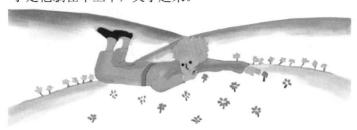

第二十一章

就在那时，狐狸出现了。

"早上好！"狐狸说。

虽然小王子转过头去的时候什么也没看到，可他仍然礼貌地回答："早上好！"。

"我在这儿，"那声音说道，"在苹果树下。"

"你是谁？"小王子问，接着又说，"你看起来真漂亮。"

"我是只狐狸。"狐狸说道。

"来和我玩吧，"小王子提议说，"我不开心。"

"我不能和你玩，"狐狸说，"我还没被驯服。"

"啊！请原谅。"小王子说。

然后他想了想，问道：

"'驯服'是什么意思？"

"你不住这儿的吧，"狐狸说，"你在找什么？"

"我在找人，"小王子说，"'驯服'是什么意思？"

"人啊，"狐狸说，"他们有枪，还会打猎，很讨厌的。不过他们还会养鸡，这是他们惟一的好处。你在找鸡吗？"

"不，"小王子说，"我在找朋友。'驯服'是什么意思？"

"这是一件常常被人忽略的事情，"狐狸说，"它的意思就是建立关系。"

"建立关系？"

"没错，"狐狸说，"在我眼里，你只不过是一个小男孩，和其他成百上千的小男孩一样。我不需要你，你也不需要我。对你而言，我也只不过是一只狐狸，和其他成百上千的狐狸一样。可是如果你驯服了我，那我们就会互相需要对方。对我来说，你就会是世界上独一无二的一个；对你来说，我也会是世界上独一无二的一个……"

"我开始明白了，"小王子说，"有一朵花……我想她已经把我驯服了……"

"那倒是有可能的，"狐狸说，"在地球上你什么样的事情都能看到。"

"哦，可这不是在地球上的事情！"小王子说。

狐狸看起来有些困惑，但又十分好奇，

"在另一个星球上？"

"是的。"

"在那个星球上有猎人吗？"

"没有。"

"啊，那倒很有意思！那里有鸡吗？"

"没有。"

"世事无完美。"狐狸感叹道。

可它又把话题拉了回来。

"我的生活很单调，"狐狸说，"我逮鸡，人们逮我。所有的鸡都是一样的，所有的人也都是一样的。所以，我觉得有点无聊。可是如果你驯服了我的话，就好像阳光照亮我的生命。我会分辨出一种与众不同的脚步声。其他的脚步声会叫我赶忙躲到地下去，而你的脚步声却会像音乐一样召唤我走出我的洞穴。你看，看见远处的麦田了吧？我不吃面包，小麦对我没什么用，麦田对我也没什么吸引力。这真叫人难受。但你有一头金黄色的头发。想想你驯服我了之后该多美好啊！那些金色的麦粒就会让我想起你，我甚至会爱上清风拂过麦浪的声音……"

狐狸凝视了小王子很久之后说：

"请你——驯服我吧！"

"我也非常想，"小王子回答，"可是我没有很多时间。我还要找朋友，还有许多的事情不明白。"

"只有那些被你驯服了的事物你才能弄明白，"狐狸说，"人们没有时间去弄明白所有的事物，他们会去商店买现成的东西，可是没有哪家商店里是可以买到友谊的，所以他们并没有朋友。如果你想要朋友的话，就驯服我吧……"

"要驯服你的话，我该做些什么？"小王子问。

"你一定要十分耐心，"狐狸回答，"你先坐在离我稍稍远一点的地方——像那儿——在草丛里。我会用眼角的余光看你，你什么都不要说。语言会产生误会。之后你每天都坐得离我更近一点"。

第二天，小王子又来了。

"你要是在原来的时间过来就更好，"狐狸说，"比如，要是你下午四点过来，那三点的时候我就会开始感到开心。时间一点点过去，我也越来越高兴。四点的时候，我就会坐立不安。我会告诉你我有多开心！可如果你是随便什么时候来的话，我就不知道自己的心该什么时候开始期待，你应当遵循一定的仪式……"

"什么是仪式？"小王子问。

"这也是一种常常被人忽略的活动，"狐狸说，"它可以使得某一个日子变得与其他日子不同，某一个小时变得和其他小时不同。比如说，我的猎人们之间有种仪式，每个星期四他们都会去和村里的姑娘们跳舞。所以星期四对我来说就是十分美好的一天！我可以一直走到葡萄园去。可是如果猎人们随便什么时候都跳舞，每一天都和其他日子没什么分别，我就永远都没有假期了。"

就这样，小王子驯服了狐狸。当他离开的时刻一点点逼近——

"啊，"狐狸说，"我想哭了。"

"是你自己不好的，"小王子说，"我从没想过要伤害你；可你却要我驯服你……"

"的确是这样的。"狐狸说。

"可你现在就要哭了！"小王子说。

"的确是这样。"狐狸说。

"那对你一点好处都没有！"

"对我有好处的，"狐狸说，"因为麦田的颜色。"他接着说道：

"再去看一眼玫瑰吧。你现在就能明白你的那朵在世间是惟一的。然后回来和我道别，我会告诉你一个秘密。"

小王子走了，再去见一见玫瑰花们。

"你们一点也不像我的玫瑰，"他说，"你们还什么都不是，没有人驯服你们，你们也没有驯服过任何人。你们就像我的狐狸第一次与我相遇时那样，那时它只是一只狐狸，同其他千万只狐狸没有分别。可是我把它当成了朋友，现在它 就是这世间独一无二的了。"

玫瑰们十分尴尬。

"你们很漂亮，但是很空虚，"他继续说道，"没有人愿为你们而死。当然，我的那朵玫瑰，也会有普通的路人会觉得它和你们一样。可是单单它一朵就比你们上百朵更重要：因为它是我浇灌的；是我放进玻璃罩子里的；是我放到屏风后保护起来的；因为它身上的毛毛虫是我消灭的（除了剩下的两三条是为了让它们变成蝴蝶）；因为它的哀怨和骄傲，甚至有时候它的一言不发，都是我在倾听着，因为它是我的玫瑰。"

然后他回去见了狐狸。

"再见了。"他说。

"再见吧，"狐狸说，"现在告诉你我的秘密，一个很简单的秘密：只有用心才能看清楚；真正重要的东西用眼睛是看不见的。"

"真正重要的东西用眼睛是看不见的。"小王子重复着，好让自己牢牢记住。

"因为你在自己的玫瑰上倾注了时间，所以才使得你的玫瑰如此重要。"

"因为我在自己的玫瑰上倾注了时间——"小王子念道，好让自己牢牢记住。

"人们已经忘记了这个真理，"狐狸说，"但你不可以忘记。你要为自己驯服了的一切负责到底，你要为你的玫瑰负责……"

"我要为我的玫瑰负责。"小王子重复着，好让自己牢牢记住。

第二十二章

"早上好！"小王子说。

"早上好！"铁路扳道工说。

"你在这儿做什么？"小王子问。

"我在分流旅客，每一千个人一拨，"扳道工说，"火车载着他们，而我就负责时而把火车分配到右边，时而分配到左边。"

这时一列灯火通明的高速列车飞驰而过，一阵雷鸣似的轰响把扳道工的小屋震得发颤。

"他们很着急啊，"小王子说，"他们在寻找什么？"

"就是开火车的人也不知道。"扳道工说。

第二列灯火通明的高速列车雷鸣般地急驶而过，方向却是相反的。

"他们已经又回来了？"小王子问。

"不是同一列，"扳道工说，"是一列对开的车。"

"他们不满意自己所在的地方吗？"小王子问。

"没有人满意自己所在的地方。"扳道工回答。

然后他们听到了第三列灯火通明的列车飞驰过的轰鸣声。

"他们是在追随第一批旅客吗？"小王子问。

"他们什么都没在追随，"扳道工说，"他们在里面睡觉，如果不是在睡觉的话就是在打哈欠。只有小孩子才会把鼻子贴在窗玻璃上往外看。"

"只有孩子们知道自己在追寻什么，"小王子说，"他们在一个玩具娃娃上花费时间，那个娃娃就成了很重要的东西。如果有人从他们手里把娃娃拿走，他们就会哭……"

"他们运气真好。"扳道工说。

"早上好！"小王子说。

"早上好！"商人说。

这是一个卖药的商人，他卖的药片可以止渴。你每个星期只要吞下一片药片，就不需要喝水了。

"为什么卖这个呢？"小王子问。

"因为这可以节省很多很多的时间，"商人回答，"专家做过计算，有了这些药片，每星期你就可以节省下五十三分钟。"

"我要这五十三分钟来干什么呢？"

"随便什么都行……"

"是我的话，"小王子自言自语，"要是我有这五十三分钟可以随便做什么，我就慢慢地走到泉水边去。"

从我发生事故到这沙漠起，现在已是第八天了，我听着这个关于商人的故事，同时喝完了仅剩的最后一点水。

"啊，"我对小王子说，"你的这些回忆都很有意思；可是我仍然没法修好我的飞机；也没有什么可以喝的了。如果可以慢慢地走到泉水边我也会很高兴的！"

"我的朋友，狐狸——"小王子对我说道。

"我亲爱的小朋友，别再提狐狸了！"

"为什么别提它了？"

"因为我就要渴死了……"

他没理解我的想法，回答道：

"有一个朋友真是件好事，即使是一个垂死的人。比如我就很高兴能有狐狸做我的朋友……"

"他一点都不晓得危险，"我思忖着，"他一定从来也不会感到饥饿或干渴，他所要的只是一点点阳光。"

可是他却定定地看着我，然后对我的想法做出了回应：

"我也很渴。我们去找口井吧……"

我显出厌倦的样子。在这漫漫沙漠之中盲目地去找井，真是一件荒唐的事情。可是话虽如此，我们还是开始动身了。

我们拖着沉重的步伐走了好几个小时。一片寂静，夜幕降临，群星闪烁。干渴让我有些许兴奋，我看着周围的一切，好似梦境中一般。小王子最后的几句话又重新在我脑海中闪现。

"你也渴吗？"我问。

可他并没有回答我的问题，只是对我说：

"水对心脏也有好处……"

我不明白这个答案是什么意思，不过我也没说什么。我很清楚反复追问他也没用。

他很累，便坐了下来。我在他身边坐下来。然后，他沉默了一会儿，说道：

"星星很美丽，因为有一朵看不到的花。"

我回答他，"是啊，的确如此。"然后看着面前月光下这一片延展起伏的沙漠，就再没说什么。

"沙漠真美。"小王子说道。

那倒是事实，我一直都很喜欢沙漠，可以坐在沙丘上，眼见无物，耳闻无声，可在这寂静之中却又蕴藏着一丝悸动，一线光采。

"使得沙漠如此之美的，"小王子说道，"是在某个地方藏着的一口井。"

我突然明白了沙漠之中的神秘光彩，这使我为之一震。当我还是个小男孩的时候，住在一幢老房子里，传说那里埋着宝藏。从来都没有人知道怎么才能找到它；可能也从来没有人去找过它。可是这却给那幢老屋增添了一分神秘感。我家的房子在深底里藏着一个秘密。

"对啊，"我对小王子说，"房子，群星，沙漠——使它们美丽的东西其实是看不见的！"

"我真高兴啊，"他说，"你和我的狐狸想的一样。"

小王子睡着了，我把他抱在怀里，又重新出发了。我很感动，也很激动，好像怀里抱着的是一个很柔弱的宝贝，也许是全世界最柔弱的。月光下我看了看他苍白的前额、紧闭的双眼，和风中飘着的丝丝头发，暗自想道："我在这儿所看见的都只不过是表象。真正重要的东西是看不到的……"

他的嘴似笑非笑地微微咧开，我又自顾自想："熟睡的小王子，深深打动我的，是他对他那朵花的忠诚——那朵玫瑰花的样子就像灯中的火苗，照亮了他的全部，即使在睡梦中也闪耀着光辉……"这时我感觉他变得更加柔弱了，我有一种想要保护他的渴望，仿佛他是一星火苗，一丝风就能把他熄灭……

我继续走着，终于在黎明时分找到了水井。

第二十五章

"人们，"小王子说，"他们搭着快车上路，可却不知道自己在寻找的是什么。他们四处奔波，激动兴奋，转来转去……"

他继续说道：

"其实没必要那么麻烦的……"

我们找到的那口井并不像是撒哈拉沙漠里的井。撒哈拉沙漠里的井基本都是在沙上打的洞。这口井却像是村庄里的井，可这里并没有村庄，我还以为自己是在做梦……

"这很奇怪啊，"我跟小王子说，"什么都是现成的：辘轳、水桶、井绳……"他笑了，拿起井绳绕上辘轳，便开始工作。辘轳就像一个无风吹动、被遗忘许久的老旧风向标，吱吱作响。

"你听见了吗？"小王子说，"我们把这口井唤醒了，它正在歌唱……"

我不想累到他。

"我来吧，"我说，"这个对你来说太重了。"

我慢慢提起水桶把它放到井沿上，感到又开心又疲惫。辘轳的歌声依然在我耳边回响，我看到阳光在晃动不止的水面上闪烁跳跃着。

"我要喝的就是这水，"小王子说，"给我喝点儿吧……"

于是我明白了他在寻找的是什么。

我把水桶提到他的唇边，他闭上眼睛喝着水，好似节日的特别款待一般甘甜。这水和普通水不一样，有了星光下的夜行、辘轳的歌唱和我双手的努力，才得到的这份甘之如饴。它就像一份礼品，慰藉着心灵。在我还小的时候，圣诞树的灯光，午夜弥撒的音乐，温柔的笑脸，都为我收到的礼物镀上了一层光彩。

"你这儿住的人们，"小王子说，"在一个花园里种上五千朵玫瑰——可却无法从中寻到自己所寻找的东西。"

"他们找不到。"我应道。

"其实他们所寻找的，在一朵玫瑰、一滴水中就能找到。"

"没错。"我说。

小王子接着说：

"眼睛是看不到的，一定要用心去看……"

我喝了水，轻轻地呼吸。日出时分的沙漠是蜂蜜的颜色，这种蜂蜜色让我觉得很幸福。那又是什么让我感到悲伤呢？

"你一定要遵守诺言。"小王子温柔地说，一边坐回到我身旁。

"什么诺言？"

"你知道的——给我的小羊画一个口罩……我要对那朵花负责……"

我把自己画的草图从口袋里掏出来。小王子看到了，笑着说：

"你的猴面包树——看起来有点像大白菜。"

"哦！"

猴面包树还是我的得意之作呢！

"你画的狐狸——它的耳朵看起来有点像犄角，而且画得也太长了。"

然后他又笑起来。

"小王子你怎么能这么说，"我分辩道，"除了蟒蛇的那张外观图和内视图，其他我都不知道该怎么画啊。"

"哦，没关系的，"他说，"孩子们能明白的。"

所以我就拿铅笔画了一个口罩的草图。把它递给小王子的时候我心里很难过。

"你有什么我不知道的打算吧？"我说。

但他没有回答我的问题，反而对我说，

"你知道——我落到地球上——明天就满一年了。"

他沉默了一会儿，接着说：

"我降落的地方离这里很近。"

他的脸颊绯红。

我也不知道为什么，心里又有了一丝伤感。此时我心中又有了一个问题：

"那一星期以前，我第一次见到你的那个清晨，你一个人在这个荒无人烟的地方转来转去，这并不是偶然的？你是要回到降落的地方去吗？"

小王子的脸又红了。

我有些犹豫地说：

"大概是因为一周年的缘故？"

小王子的脸又一次红了，他从不回答问题——可是脸红的意思，难道不是在说"是的"吗？

"啊，"我对他说，"我有点儿害怕——"

可是他打断了我的话。

"现在你该工作了，一定要回到你的引擎边去。我会在这里等你的。明天晚上再回到这儿来吧……"

但我不太放心，我想起了狐狸。一个人如果被驯服了，就有可能会掉眼泪……

第二十六章

井边还有一堵残破的石墙。第二天晚上，我工作回来之后，远远地就看见小王子坐在墙头上，双脚耷拉着。我听见他说：

"你不记得了，肯定不是同一个地方。"

一定是有什么声音回答了他，因为他又回答道：

"是的，是的！日子是对的，可是地方不对。"

我继续朝墙走去，可还是什么人都没看到，也听不到什么人的声音。可是小王子又回答道：

"当然。你在沙上可以看到我的脚步是从哪儿开始的。你什么都不用做，在那里等着我就可以了。我今晚应该可以到那儿。"

我离墙只有二十米了，可还是什么都没有看到。

沉默了一会儿，小王子又说道：

"你的毒好使吧？保证不会让我痛苦很久吧？"

我停下了脚步，难受得心都碎了，可是却仍然不明白发生了什么。

"你走吧，"小王子说，"我要从墙上下来了。"

我向墙脚边望去，吓了一跳。在我眼前，面对着小王子的，是一条黄色的蛇，只需要半分钟就能让人致命的蛇。就在我伸手到口袋掏手枪的时候，也还是往后退了好几步。可是听到了我的脚步声，蛇就像干涸的泉眼一样钻入了沙中，不慌不忙地消失在石砾中，发出轻微的金属般的声响。

我走到墙边，恰好把小王子接到怀中。他的脸像雪一般煞白。

"这是什么意思？"我问道，"你怎么在和蛇说话？"

我松了松他一直围着的金色围脖，拿水擦了擦他的太阳穴，又给他喝了点水，不敢再问他什么问题了。他严肃地看着我，双手搂着我的脖子。我感到他的心跳得好像一只被枪弹击中濒临死亡的小鸟……

"你解决了引擎的问题，我真高兴，"他说，"现在你可以回家了……"

"你怎么知道的？"

我正是要来跟他说，在不抱任何希望的情况下，我已经顺利完成了工作。

他没有回答我的问题，只是说道：

"我今天也要回家了……"

然后，他很忧伤地说——

"我的家远得多……回去也困难得多……"

我清楚地意识到有些不寻常的事情就要发生了。我把他当小孩一样紧紧地搂在怀里。可仍然感到他仿佛正朝着一个无底深渊直直地坠落下去，我想要拉住他，却无能为力……

他脸上显出了痴迷的神情，像丢了魂一样。

"我有了你画的小绵羊，有了它的箱子，还有了它的口罩……"

然后他忧伤地对我笑了笑。

等了很久，可以看到他一点点地清醒过来。

"我亲爱的小家伙，"我对他说，"你害怕了……"

毫无疑问，他很害怕，可是他却轻轻地笑了。

"今晚我会怕得更厉害的……"

我再一次感到有一种无可挽回的感觉把我定在原地，这时我才知道，只要一想到再也不能听见他的笑声，就没法忍受。对我来说，他的笑声就像是沙漠中的一眼甘泉。

"小家伙，"我说，"我还想再听到你的笑声。"

可他却对我说：

"今天晚上，就要满一年了……我的星星，恰好在我去年降落到地球的那个地方的上空……"

"小家伙，"我说，"告诉我，这蛇的事情，见面的地点，还有星星，只是一场噩梦吧……"

可他并没有回答，反而对我说，"不过最重要的东西用眼睛是看不见的……"

"嗯，明白……"

"就像花儿一样。假如你爱上了某颗星星上的一朵花，你在夜晚望着星空时就会感到很甜蜜。所有的星星都开满了花儿……"

"嗯，明白……"

"就像水一样。因为有了辘轳、井绳，所以你给我喝的就好像音乐一样。你还记得——那有多好喝。"

"嗯，我明白……"

"夜晚仰望星空，因为我住的地方东西都太小，所以我也没法指给你看怎么找到它。那样更好。对于你，我的星星就是群星中的一颗。这样你就会爱上天上的群星……它们都会成为你的朋友。而且，我还要给你一件礼物……"

他又笑了。

"啊，小王子，亲爱的小王子！我喜欢听见这笑声！"

"那就是我的礼物，就像我们喝水时那样……"

"你想说什么？"

"每个人都能看见星星，"他回答，"可是对于不同的人，它们是不同的。对于旅行者而言，星星就是向导；而对于别人而言，星星就只是天边的微光。对于学者，星星是探究的问题；对于商人，它们就是财富。可是所有的星星都不说话。你——你一个人——拥有一片别人不曾拥有的星空——"

"你究竟要说什么？"

"我住在其中的一颗星星上，我上面笑着，所以当你在夜晚望着星空的时候，就好像所有的星星都在笑。你——就只有你——拥有会笑的星星！"

他又笑了。

"当你的忧伤得到慰藉（时间可以抚平所有的感伤），你会因为认识我而感到高兴。你一直是我的朋友。你会想要和我一起笑。有时你打开窗，就觉得很快乐……你的朋友会惊讶地看到你笑着抬头仰望天空！然后你就告诉他们，'是的，星星总是可以让我笑！'他们会觉得你疯了。我跟你玩的恶作剧可真不太高明……"

然后他又笑了。

"就好像，我并没有给你星星，而是给了你很多很多会笑的小铃铛……"

然后他又笑了，不过很快又变得严肃起来：

"今天晚上——你知道——不要来了。"小王子说。

"我不会离开你的。"我说。

"我看起来会很痛苦，好像快死了，就是这样的，所以不要来看我了，不必费心了……"

"我不会离开你的。"但是他担心起来。

"我跟你说这些——也是因为蛇的缘故。别让它咬了。蛇——是很坏的，可

能只是因为高兴就咬你一口……"

"我不会离开你的。"

不过他又想起了什么，所以放下心来：

"它们咬第二口的时候就没有毒了。"

那一晚我并没有看到他起程。他一声不响地离开了我。当我赶上他的时候，他正坚定地快步走着。他只是对我说：

"啊！你在那儿……"

然后他拉起了我的手，可是仍然很担心。

"你不该来的，会觉得很痛苦。我看起来会像死去一样；但其实不是真的……"

我什么都没说。

"你知道……太远了。我没法带着这副躯壳，太重了。"

我什么都没有说。

"就会像一个废弃的空壳，空壳是没什么好叫人伤心的……"

我什么都没说。

他有一点泄气，不过又作了一点努力：

"你知道，会很好的。我也会看着群星。所有的星星都像是井，里面带着生了锈的辘轳。所有的星星都可以倒出泉水来让我喝……"

我依旧什么都没说。

"那会很好玩的！你会有五亿个小铃铛，我也会有五亿眼泉水……"

之后，他也不再说话了，因为他在哭……

"就是这儿了。让我自己走吧。"

他坐了下来，因为感到害怕。然后他又说：

"你知道——我的花……我要为她负责。她这么弱小！又是这样天真！她只有四根刺来保护自己不受外界的侵害，其实一点用都没有……"

我也坐了下来，因为再也站不住了。

"那现在——就这样了……"

他仍然有些犹豫；然后站起身，走了一步。我却动不了了。

只见有一道黄色的光在他的脚踝边闪了一下。刹那间，他一动也没动，也没有哭出来。他像一棵树一样缓缓倒下。因为倒在了沙地上，所以连一点声音都没发出来。

到如今，已经六年了……

我从来都没有讲过这个故事。回来后同伴们见到我平安无事，都觉得很高兴。我很伤心，可是却只告诉他们："我很累。"

现在我的悲伤得到了些许安慰，也就是说——并没有完全好。可是我知道他已经回到了自己的那颗星球上，因为在黎明破晓时我没有找到他的遗体。那具身躯并不很重……在夜晚我喜欢倾听群星，就好像五亿个小铃铛……

不过还有一件不寻常的事情……当我给小王子画羊的口罩时，我忘记画上口罩的皮带了。他就再没办法把它戴到小羊嘴巴上了。所以如今我一直在想：他的星球怎么样了？也许小羊把花给吃了……

有一段时间，我对自己说："当然不会！小王子每个晚上都会把他的花放到玻璃罩子下的，他也会很小心地看管他的羊……"然后我就很高兴，而所有的星星也都甜甜地笑了。

不过也有时候我对自己说："有些时候，人是会疏忽的，那就糟透了！要是有个晚上他忘记了玻璃罩子，又或者小羊在夜里，不声不响地跑了出来……"于是所有的小铃铛都变成了泪珠……

这真是很神秘。对于你们这些也喜欢小王子的人，就像对我来说一样，如果宇宙中的某个地方，我们不知道的某个地方，有一只我们从没见过的羊吃掉了一朵玫瑰花，那么世间万物就会变得全然不同——是不是呢？

仰望天空，心中自问：是不是呢？羊有没有吃掉花儿？你就会看到一切都如何变了模样……

可没有一个大人能明白这是一件多么重要的事！

这对我而言，是世界上最美好也最令人伤心的景色。这和前一页上画的是一样的，可我重新画了一遍，好让你加深印象。就是在这儿，小王子在地球上出现，又消失。

小王子

　　仔细地看一看，这样如果有一天你到了非洲的沙漠，你也一定能认出它来。如果你经过那里，请不要匆匆离去，在星星下等候一会儿。要是出现一个笑着的满头金发的小家伙，从不回答问题，你们就知道他是谁了。假如他真的出现了，请写信告诉我他回来了，好叫我感到安慰。

The Little Prince

Chapter 1

Once when I was six years old I saw a magnificent picture in a book, called *True Stories from Nature*, about the primeval forest. It was a picture of a boa constrictor in the act of swallowing an animal. Here is a copy of the drawing.

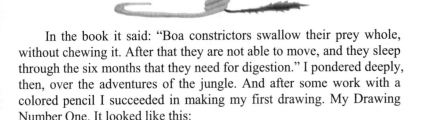

In the book it said: "Boa constrictors swallow their prey whole, without chewing it. After that they are not able to move, and they sleep through the six months that they need for digestion." I pondered deeply, then, over the adventures of the jungle. And after some work with a colored pencil I succeeded in making my first drawing. My Drawing Number One. It looked like this:

I showed my masterpiece to the grown-ups, and asked them whether the drawing frightened them. But they answered: "Frighten? Why should anyone be frightened by a hat?" My drawing was not a picture of a hat. It was a picture of a boa constrictor digesting an elephant. But since the grown-ups were not able to understand it, I made another drawing: I drew the inside of the boa constrictor, so that the grown-ups could see it clearly. They always need to have things explained. My Drawing Number Two looked like this:

The grown-ups' response, this time, was to advise me to lay aside my drawings of boa constrictors, whether from the inside or the outside, and devote myself instead to geography, history, arithmetic and grammar. That is why, at the age of six, I gave up what might have been a magnificent career as a painter. I had been disheartened by the failure of my Drawing Number One and my Drawing Number Two. Grown-ups never understand anything by themselves, and it is tiresome for children to be always and forever explaining things to them.

So then I chose another profession, and learned to pilot airplanes. I have flown a little over all parts of the world; and it is true that geography has been very useful to me. At a glance I can distinguish China from Arizona. If one gets lost in the night, such knowledge is valuable. In the course of this life I have had a great many encounters with a great many people who have been concerned with matters of consequence. I have lived a great deal among grown-ups. I have seen them intimately, close at hand. And that hasn't much improved my opinion of them.

Whenever I met one of them who seemed to me at all clear-sighted, I tried the experiment of showing him my Drawing Number One, which I have always kept. I would try to find out, so, if this was a person of true understanding. But, whoever it was, he, or she, would always say: "That is a hat." Then I would never talk to that person about boa constrictors, or primeval forests, or stars. I would bring myself down to his level. I would talk to him about bridge, and golf, and politics, and neckties. And the grown-up would be greatly pleased to have met such a sensible man.

Chapter 2

So I lived my life alone, without anyone that I could really talk to, until I had an accident with my plane in the Desert of Sahara, six years ago. Something was broken in my engine. And as I had with me neither a mechanic nor any passengers, I set myself to attempt the difficult repairs all alone. It was a question of life or death for me: I had scarcely enough drinking water to last a week.

The first night, then, I went to sleep on the sand, a thousand miles from any human habitation. I was more isolated than a shipwrecked sailor on a raft in the middle of the ocean. Thus you can imagine my amazement, at sunrise, when I was awakened by an odd little voice.

It said: "If you please, draw me a sheep!"

"What!"

"Draw me a sheep!"

I jumped to my feet, completely thunderstruck. I blinked my eyes hard. I looked carefully all around me. And I saw a most extraordinary small person, who stood there examining me with great seriousness. Here you may see the best portrait that, later, I was able to make of him. But my drawing is certainly very much less charming than its model.

That, however, is not my fault. The grown-ups discouraged me in my painter's career when I was six years old, and I never learned to draw anything, except boas from the outside and boas from the inside.

Now I stared at this sudden apparition with my eyes fairly starting out of my head in astonishment. Remember, I had crashed in the desert a thousand miles from any inhabited region. And yet my little man seemed neither to be straying uncertainly among the sands, nor to be fainting from fatigue or hunger or thirst or fear. Nothing about him gave any suggestion of a child lost in the middle of the desert, a thousand miles from any human habitation.

When at last I was able to speak, I said to him: "But, what are you doing here?" And in answer he repeated, very slowly, as if he were speaking of a matter of great consequence:

"If you please, draw me a sheep..."

When a mystery is too overpowering, one dare not disobey. Absurd as it might seem to me, a thousand miles from any human habitation and in danger of death, I took out of my pocket a sheet of paper and my fountain-pen. But then I remembered how my studies had been concentrated on geography, history, arithmetic, and grammar, and I told the little chap (a little crossly, too) that I did not know how to draw. He answered me: "That doesn't matter. Draw me a sheep..." But I had never drawn a sheep. So I drew for him one of the two pictures I had drawn so often. It was that of the boa constrictor from the outside. And I was astounded to hear the little fellow greet it with, "No, no, no! I do not want an elephant inside a boa constrictor. A boa constrictor is a very dangerous creature, and an elephant is very cumbersome. Where I live, everything is very small. What I need is a sheep. Draw me a sheep."

So then I made a drawing. He looked at it carefully, then he said: "No.

68

This sheep is already very sickly. Make me another." So I made another drawing. My friend smiled gently and indulgently. "You see yourself," he said, "that this is not a sheep. This is a ram. It has horns."

So then I did my drawing over once more. But it was rejected too, just like the others. "This one is too old. I want a sheep that will live a long time."

By this time my patience was exhausted, because I was in a hurry to start taking my engine apart. So I tossed off this drawing. And I threw out an explanation with it.

"This is only his box. The sheep you asked for is inside."

I was very surprised to see a light break over the face of my young judge:

"That is exactly the way I wanted it! Do you think that this sheep will have to have a great deal of grass?"

"Why?"

"Because where I live everything is very small..."

"There will surely be enough grass for him," I said. "It is a very small sheep that I have given you."

He bent his head over the drawing: "Not so small that, Look! He has gone to sleep..." And that is how I made the acquaintance of the little prince.

Chapter 3

It took me a long time to learn where he came from. The little prince, who asked me so many questions, never seemed to hear the ones I asked him. It was from words dropped by chance that, little by little, everything was revealed to me.

The first time he saw my airplane, for instance (I shall not draw my airplane; that would be much too complicated for me), he asked me: "What is that object?"

"That is not an object. It flies. It is an airplane. It is my airplane." And I was proud to have him learn that I could fly. He cried out, then: "What! You dropped down from the sky?"

"Yes," I answered, modestly.

"Oh! That is funny!" And the little prince broke into a lovely peal of laughter, which irritated me very much. I like my misfortunes to be taken seriously.

Then he added: "So you, too, come from the sky! Which is your planet?" At that moment I caught a gleam of light in the impenetrable mystery of his presence; and I demanded, abruptly: "Do you come from another planet?" But he did not reply. He tossed his head gently, without taking his eyes from my plane: "It is true that on that you can't have come from very far away..." And he sank into a reverie, which lasted a long time. Then, taking my sheep out of his pocket, he buried himself in the contemplation of his treasure.

You can imagine how my curiosity was aroused by this half-confidence about the "other planets". I made a great effort, therefore, to find out more on this subject.

"My little man, where do you come from? What is this 'where I live,' of which you speak? Where do you want to take your sheep?"

After a reflective silence he answered: "The thing that is so good about the box you have given me is that at night he can use it as his house."

"That is so. And if you are good I will give you a string, too, so that you can tie him during the day, and a post to tie him to."

But the little prince seemed shocked by this offer: "Tie him! What a queer idea!"

"But if you don't tie him," I said, "he will wander off somewhere, and get lost."

My friend broke into another peal of laughter: "But where do you think he would go?" "Anywhere. Straight ahead of him."

Then the little prince said, earnestly: "That doesn't matter. Where I live, everything is so small!" And, with perhaps a hint of sadness, he added: "Straight ahead of him, nobody can go very far..."

Chapter 4

I had thus learned a second fact of great importance: this was that the planet the little prince came from was scarcely any larger than a house! But that did not really surprise me much. I knew very well that in addition to the great planets, such as the Earth, Jupiter, Mars, Venus,

to which we have given names, there are also hundreds of others, some of which are so small that one has a hard time seeing them through the telescope.

When an astronomer discovers one of these he does not give it a name, but only a number. He might call it, for example, "Asteroid 325."

I have serious reason to believe that the planet from which the little prince came is the asteroid known as B-612. This asteroid has only once been seen through the telescope. That was by a Turkish astronomer, in 1909.On making his discovery, the astronomer had presented it to the International Astronomical Congress, in a great demonstration. But he was in Turkish costume, and so nobody would believe what he said. Grown-ups are like that...

Fortunately, however, for the reputation of Asteroid B-612, a Turkish dictator made a law that his subjects, under pain of death, should change to European costume. So in 1920 the astronomer gave his demonstration all over again, dressed with impressive style and elegance. And this time everybody accepted his report.

If I have told you these details about the asteroid, and made a note of its number for you, it is on account of the grown-ups and their ways. When you tell them that you have made a new friend, they never ask you any questions about essential matters. They never say to you, "What does his voice sound like? What games does he love best? Does he collect butterflies?" Instead, they demand: "How old is he? How many brothers has he? How much does he weigh? How much money does his father make?"

Only from these figures do they think they have learned anything about him.

If you were to say to the grown-ups: "I saw a beautiful house made of rosy brick, with geraniums in the windows and doves on the roof," they would not be able to get any idea of that house at all. You would have to say to them: "I saw a house that cost $ 20 000." Then they would exclaim: "Oh, what a pretty house that is!" Just so, you might say to them: "The proof that the little prince existed is that he was charming, that he laughed, and that he was looking for a sheep. If anybody wants a sheep, that is a proof that he exists." And what good would it do to tell them that? They would shrug their shoulders, and treat you like a child. But if you said to them: "The planet he came from is Asteroid B-612", then they would be convinced, and leave you in peace from their questions. They are like that. One must not hold it against them. Children should always show great forbearance toward grown-up people. But certainly, for us who understand life, figures are a matter of indifference.

I should have liked to begin this story in the fashion of the fairy-tales. I should have like to say: "Once upon a time there was a little prince who lived on a planet that was scarcely any bigger than himself, and who had need of a sheep..."

To those who understand life, that would have given a much greater air of truth to my story. For I do not want any one to read my book carelessly. I have suffered too much grief in setting down these memories. Six years have already passed since my friend went away from me, with his sheep. If I try to describe him here, it is to make sure that I shall not forget him. To forget a friend is sad. Not every one has had a friend. And if I forget him, I may become like the grown-ups who are no longer interested in anything but figures... It is for that purpose, again, that I have bought a box of paints and some pencils.

It is hard to take up drawing again at my age, when I have never made any pictures except those of the boa constrictor from the outside and the boa constrictor from the inside, since I was six. I shall certainly try to make my portraits as true to life as possible. But I am not at all sure of success. One drawing goes along all right, and another has no resemblance to its subject. I make some errors, too, in the little prince's height: in one place he is too tall and in another too short. And I feel some doubts about the color of his costume. So I fumble along as best I can, now good, now bad, and I hope generally fair-to-middling. In certain more important details I shall make mistakes, also. But that is something that will not be my fault. My friend never explained anything to me. He thought, perhaps, that I was like himself. But I, alas, do not know how to see sheep through the walls of boxes. Perhaps I am a little like the grown-ups. I have had to grow old.

Chapter 5

As each day passed I would learn, in our talk, something about the little prince's planet, his departure from it, his journey. The information would come very slowly, as it might chance to fall from his thoughts. It was in this way that I heard, on the third day, about the catastrophe of the baobabs.

This time, once more, I had the sheep to thank for it. For the little prince asked me abruptly, as if seized by a grave doubt,

"It is true, isn't it, that sheep eat little bushes?"

"Yes, that is true."

"Ah! I am glad!"

I did not understand why it was so important that sheep should eat little bushes. But the little prince added: "Then it follows that they also eat baobabs?" I pointed out to the little prince that baobabs were not little bushes, but, on the contrary, trees as big as castles; and that even if he took a whole herd of elephants away with him, the herd would not eat up one single baobab.

The idea of the herd of elephants made the little prince laugh. "We would have to put them one on top of the other," he said. But he made a wise comment:

"Before they grow so big, the baobabs start out by being little."

"That is strictly correct," I said. "But why do you want the sheep to eat the little baobabs?"

He answered me at once, "Oh, come, come!", as if he were speaking of something that was self-evident. And I was obliged to make a great mental effort to solve this problem, without any assistance.

Indeed, as I learned, there were on the planet where the little prince lived, as on all planets, good plants and bad plants. In consequence, there were good seeds from good plants, and bad seeds from bad plants. But seeds are invisible. They sleep deep in the heart of the earth's darkness, until some one among them is seized with the desire to awaken. Then this little seed will stretch itself and begin, timidly at first, to push a charming little sprig inoffensively upward toward the sun. If it is only a sprout of radish or the sprig of a rose-bush, one would let it grow wherever it might wish. But when it is a bad plant, one must destroy it as soon as possible, the very first instant that one recognizes it.

Now there were some terrible seeds on the planet that was the home of the little prince; and these were the seeds of the baobab. The soil of that planet was infested with them. A baobab is something you will never, never be able to get rid of if you attend to it too late. It spreads over the entire planet. It bores clear through it with its roots. And if the planet is too small, and the baobabs are too many, they split it in pieces...

"It is a question of discipline," the little prince said to me later on.

"When you've finished your own toilet in the morning, then it is time to attend to the toilet of your planet, just so, with the greatest care. You must see to it that you pull up regularly all the baobabs, at the very first moment when they can be distinguished from the rosebushes which they resemble so closely in their earliest youth. It is very tedious work," the little prince added, "but very easy." And one day he said to me: "You ought to make a beautiful drawing, so that the children where you live can see exactly how all this is. That would be very useful to them if they were to travel some day.

"Sometimes," he added, "there is no harm in putting off a piece of work until another day. But when it is a matter of baobabs, that always means a catastrophe. I knew a planet that was inhabited by a lazy man. He neglected three little bushes..."

So, as the little prince described it to me, I have made a drawing of that planet. I do not much like to take the tone of a moralist. But the danger of the baobabs is so little understood, and such considerable risks would be run by anyone who might get lost on an asteroid, that for once I am breaking through my reserve. "Children," I say plainly, "watch out for the baobabs!" My friends, like myself, have been skirting this danger for a long time, without ever knowing it; and so it is for them that I have worked so hard over this drawing.

The lesson which I pass on by this means is worth all the trouble it has cost me. Perhaps you will ask me, "Why are there no other drawing in this book as magnificent and impressive as this drawing of the baobabs?" The reply is simple. I have tried. But with the others I have not been successful. When I made the drawing of the baobabs I was carried beyond myself by the inspiring force of urgent necessity.

Chapter 6

Oh, little prince! Bit by bit I came to understand the secrets of your sad little life... For a long time you had found your only entertainment in the quiet pleasure of looking at the sunset.

I learned that new detail on the morning of the fourth day, when you said to me:

"I am very fond of sunsets. Come, let us go look at a sunset now."

"But we must wait." I said.

"Wait? For what?"

"For the sunset. We must wait until it is time."

At first you seemed to be very much surprised. And then you laughed to yourself. You said to me: "I am always thinking that I am at home!"

Just so. Everybody knows that when it is noon in the United

States the sun is setting over France. If you could fly to France in one minute, you could go straight into the sunset, right from noon. Unfortunately, France is too far away for that. But on your tiny planet, my little prince, all you needed to do is move your chair a few steps. You can see the day end and the twilight falling whenever you like...

"One day," you said to me, "I saw the sunset forty-four times!"

And a little later you added: "You know, one loves the sunset, when one is so sad..." "Were you so sad, then?" I asked, "on the day of the forty-four sunsets?"

But the little prince made no reply.

Chapter 7

On the fifth day—again, as always, it was thanks to the sheep— the secret of the little prince's life was revealed to me. Abruptly, without anything to lead up to it, and as if the question had been born of long and silent meditation on his problem, he demanded:

"A sheep— if it eats little bushes, does it eat flowers, too?"

"A sheep," I answered, "eats anything it finds in its reach."

"Even flowers that have thorns?"

"Yes, even flowers that have thorns."

"Then the thorns— what use are they?"

I did not know. At that moment I was very busy trying to unscrew a bolt that had got stuck in my engine. I was very much worried, for it was becoming clear to me that the breakdown of my plane was extremely serious. And I had so little drinking-water left that I had to fear for the worst.

"The thorns— what use are they?"

The little prince never let go of a question, once he had asked it. As for me, I was upset over that bolt. And I answered with the first thing that came into my head:

"The thorns are of no use at all. Flowers have thorns just for spite!"

"Oh!"

There was a moment of complete silence. Then the little prince flashed back at me, with a kind of resentfulness:

"I don't believe you! Flowers are weak creatures. They are naïve. They reassure themselves as best they can. They believe that their thorns are terrible weapons..."

I did not answer. At that instant I was saying to myself: "If this bolt still won't turn, I am going to knock it out with the hammer." Again the little prince disturbed my thoughts.

"And you actually believe that the flowers—"

"Oh, no!" I cried. "No, no no! I don't believe anything. I answered you with the first thing that came into my head. Don't you see— I am very busy with matters of consequence!"

He stared at me, thunderstruck.

"Matters of consequence!"

He looked at me there, with my hammer in my hand, my fingers black with engine-grease, bending down over an object which seemed to him extremely ugly...

"You talk just like the grown-ups!"

That made me a little ashamed. But he went on, relentlessly:

"You mix everything up together... You confuse everything..."

He was really very angry. He tossed his golden curls in the breeze.

"I know a planet where there is a certain red-faced gentleman. He has never smelled a flower. He has never looked at a star. He has never loved any one. He has never done anything in his life but add up figures. And all day he says over and over, just like you: 'I am busy with matters of consequence!' And that makes him swell up with pride. But he is not a man— he is a mushroom!"

"A what?"

"A mushroom!"

The little prince was now white with rage.

"The flowers have been growing thorns for millions of years. For millions of years the sheep have been eating them just the same. And is it not a matter of consequence to try to understand why the flowers go to so much trouble to grow thorns which are never of any use to them? Is the warfare between the sheep and the flowers not important? Is this not of more consequence than a fat red-faced gentleman's sums? And

if I know— I, myself— one flower which is unique in the world, which grows nowhere but on my planet, but which one little sheep can destroy in a single bite some morning, without even noticing what he is doing— Oh! You think that is not important!"

His face turned from white to red as he continued:

"If some one loves a flower, of which just one single blossom grows in all the millions and millions of stars, it is enough to make him happy just to look at the stars. He can say to himself, 'Somewhere, my flower is there...' But if the sheep eats the flower, in one moment all his stars will be darkened... And you think that is not important!"

He could not say anything more. His words were choked by sobbing…

The night had fallen. I had let my tools drop from my hands. Of what moment now was my hammer, my bolt, or thirst, or death? On one star, one planet, my planet, the Earth, there was a little prince to be comforted. I took him in my arms, and rocked him. I said to him:

"The flower that you love is not in danger. I will draw you a muzzle for your sheep. I will draw you a railing to put around your flower. I will—"

I did not know what to say to him. I felt awkward and blundering. I did not know how I could reach him, where I could overtake him and go on hand in hand with him once more.

It is such a secret place, the land of tears.

Chapter 8

I soon learned to know this flower better. On the little prince's planet the flowers had always been very simple. They had only one ring of petals; they took up no room at all; they were a trouble to nobody. One morning they would appear in the grass, and by night they would have faded peacefully away. But one day, from a seed blown from no one knew where, a new flower had come up; and the little prince had watched very closely over this small sprout which was not like any other small sprouts on his planet.

It might, you see, have been a new kind of baobab. The shrub soon stopped growing, and began to get ready to produce a flower. The little prince, who was present at the first appearance of a huge bud, felt at once that some sort of miraculous apparition must emerge from it. But the flower was not satisfied to complete the preparations for her beauty in the shelter of her green chamber. She chose her colours with the greatest care. She adjusted her petals one by one. She did not wish to go out into the world all rumpled, like the field poppies. It was only in the full radiance of her beauty that she wished to appear. Oh, yes! She was a coquettish creature! And her mysterious adornment lasted for days and days. Then one morning, exactly at sunrise, she suddenly showed herself. And, after working with all this painstaking precision, she yawned and said: "Ah! I am scarcely awake. I beg that you will excuse me. My petals are still all disarranged..." But the little prince could not restrain his admiration:

"Oh! How beautiful you are!"

"Am I not?" the flower responded, sweetly. "And I was born at the same moment as the sun..."

The little prince could guess easily enough that she was not any too modest, but how moving, and exciting she was!

"I think it is time for breakfast," she added an instant later. "If you would have the kindness to think of my needs." And the little prince, completely abashed, went to look for a sprinkling can of fresh water.

So, he tended the flower. So, too, she began very quickly to torment him with her vanity, which was, if the truth be known, a little difficult to deal with.

One day, for instance, when she was speaking of her four thorns, she said to the little prince: "Let the tigers come with their claws!"

"There are no tigers on my planet," the little prince objected. "And, anyway, tigers do not eat weeds."

"I am not a weed," the flower replied, sweetly. "Please excuse me..." "I am not at all afraid of tigers," she went on, "but I have a horror of drafts. I suppose you wouldn't have a screen for me?"

"A horror of drafts, that is bad luck, for a plant," remarked the little prince, and added to himself, "This flower is a very complex creature..."

"At night I want you to put me

under a glass globe. It is very cold where you live. In the place I came from..." But she interrupted herself at that point. She had come in the form of a seed. She could not have known anything of any other worlds.

Embarrassed over having let herself be caught on the verge of such an untruth, she coughed two or three times, in order to put the little prince in the wrong.

"The screen?"

"I was just going to look for it when you spoke to me..."

Then she forced her cough a little more so that he should suffer from remorse just the same. So the little prince, in spite of all the good will that was inseparable from his love, had soon come to doubt her. He had taken seriously words which were without importance, and it made him very unhappy.

"I ought not to have listened to her," he confided to me one day.

"One never ought to listen to the flowers. One should simply look at them and breathe their fragrance. Mine perfumed all my planet. But I did not know how to take pleasure in all her grace. This tale of claws, which disturbed me so much, should only have filled my heart with tenderness and pity."

And he continued his confidences: "The fact is that I did not know how to understand anything! I ought to have judged by deeds and not by words. She cast her fragrance and her radiance over me. I ought never to have run away from her... I ought to have guessed all the affection that lay behind her poor little stratagems. Flowers are so inconsistent! But I was too young to know how to love her..."

Chapter 9

I believe that for his escape he took advantage of the migration of a flock of wild birds. On the morning of his departure he put his planet in perfect order. He carefully cleaned out his active volcanoes. He possessed two active volcanoes; and they were very convenient for heating his breakfast in the morning.

He also had one volcano that was extinct. But, as he said, "One never knows!" So he cleaned out the extinct volcano, too. If they are well cleaned out, volcanoes burn slowly and steadily, without any eruptions. Volcanic eruptions are like fires in a chimney.

On our earth we are obviously much too small to clean out our volcanoes. That is why they bring no end of trouble upon us. The little prince also pulled up, with a certain sense of dejection, the last little shoots of the baobabs. He believed that he would never want to return. But on this last morning all these familiar tasks seemed very precious to him. And when he watered the flower for the last time, and prepared to place her under the shelter of her glass globe, he realised that he was very close to tears. "Goodbye," he said to the flower. But she made no answer. "Goodbye," he said again. The flower coughed. But it was not because she had a cold.

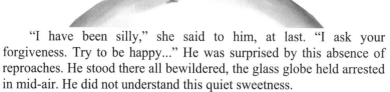

"I have been silly," she said to him, at last. "I ask your forgiveness. Try to be happy..." He was surprised by this absence of reproaches. He stood there all bewildered, the glass globe held arrested in mid-air. He did not understand this quiet sweetness.

"Of course I love you," the flower said to him. "It is my fault that you have not known it all the while. That is of no importance. But you, you have been just as foolish as I. Try to be happy... let the glass globe be. I don't want it any more."

"But the wind..." "My cold is not so bad as all that... the cool night air will do me good. I am a flower."

"But the animals..." "Well, I must endure the presence of two or three caterpillars if I wish to become acquainted with the butterflies. It seems that they are very beautiful. And if not the butterflies and the caterpillars who will call upon me? You will be far away... as for the large animals, I am not at all afraid of any of them. I have my claws."

And, naively, she showed her four thorns.

Then she added: "Don't linger like this. You have decided to go away. Now go!"

For she did not want him to see her crying. She was such a proud flower...

Chapter 10

He found himself in the neighborhood of the asteroids 325, 326, 327, 328, 329, and 330. He began, therefore, by visiting them, in order to add to his knowledge.

The first of them was inhabited by a king. Clad in royal purple and ermine, he was seated upon a throne which was at the same time both simple and majestic.

"Ah! Here is a subject," exclaimed the king, when he saw the little prince coming.

And the little prince asked himself:

"How could he recognize me when he had never seen me before?"

He did not know how the world is simplified for kings. To them, all men are subjects.

"Approach, so that I may see you better," said the king, who felt consumingly proud of being at last a king over somebody.

The little prince looked everywhere to find a place to sit down;

but the entire planet was crammed and obstructed by the king's magnificent ermine robe. So he remained standing upright, and, since he was tired, he yawned.

"It is contrary to etiquette to yawn in the presence of a king," the monarch said to him. "I forbid you to do so."

"I can't help it. I can't stop myself," replied the little prince, thoroughly embarrassed. "I have come on a long journey, and I have had no sleep..."

"Ah, then," the king said. "I order you to yawn. It is years since I have seen anyone yawning. Yawns, to me, are objects of curiosity. Come, now! Yawn again! It is an order."

"That frightens me... I cannot, any more..." murmured the little prince, now completely abashed.

"Hum! Hum!" replied the king. "Then I— I order you sometimes to yawn and sometimes to—"

He sputtered a little, and seemed vexed.

For what the king fundamentally insisted upon was that his authority should be respected. He tolerated no disobedience. He was an absolute monarch. But, because he was a very good man, he made his orders reasonable.

"If I ordered a general," he would say, by way of example, "if I ordered a general to change himself into a sea bird, and if the general did not obey me, that would not be the fault of the general. It would be my fault."

"May I sit down?" came now a timid inquiry from the little prince.

"I order you to do so," the king answered him, and majestically gathered in a fold of his ermine mantle.

But the little prince was wondering... The planet was tiny. Over what could this king really rule?

"Sire," he said to him, "I beg that you will excuse my asking you a question—"

"I order you to ask me a question," the king hastened to assure him.

"Sire— over what do you rule?"

"Over everything," said the king, with magnificent simplicity.

"Over everything?"

The king made a gesture, which took in his planet, the other planets, and all the stars.

"Over all that?" asked the little prince.

"Over all that," the king answered.

For his rule was not only absolute: it was also universal.

"And the stars obey you?"

"Certainly they do," the king said. "They obey instantly. I do not permit insubordination."

Such power was a thing for the little prince to marvel at. If he had been master of such complete authority, he would have been able to watch the sunset, not forty-four times in one day, but seventy-two, or even a hundred, or even two hundred times, with out ever having to move his chair. And because he felt a bit sad as he remembered his little planet which he had forsaken, he plucked up his courage to ask the king a favor:

"I should like to see a sunset... do me that kindness... Order the sun to set..."

"If I ordered a general to fly from one flower to another like a butterfly, or to write a tragic drama, or to change himself into a sea bird, and if the general did not carry out the order that he had received, which one of us would be in the wrong?" the king demanded. "The general, or myself ?"

"You," said the little prince firmly.

"Exactly. One much require from each one the duty which each one can perform," the king went on. "Accepted authority rests first of all on reason. If you ordered your people to go and throw themselves into the sea, they would rise up in revolution. I have the right to require obedience because my orders are reasonable."

"Then my sunset?" the little prince reminded him: for he never forgot a question once he had asked it.

"You shall have your sunset. I shall command it. But, according to my science of government, I shall wait until conditions are favorable."

"When will that be?" inquired the little prince.

"Hum! Hum!" replied the king; and before saying anything else he consulted a bulky almanac. "Hum! Hum! That will be about— about— that will be this evening about twenty minutes to eight. And you will see how well I am obeyed."

The little prince yawned. He was regretting his lost sunset. And then, too, he was already beginning to be a little bored.

"I have nothing more to do here," he said to the king. "So I shall set out on my way again."

"Do not go," said the king, who was very proud of having a subject. "Do not go. I will make you a Minister!"

"Minister of what?"

"Minster of— of Justice!"

"But there is nobody here to judge!"

"We do not know that," the king said to him. "I have not yet made a complete tour of my kingdom. I am very old. There is no room here for a carriage. And it tires me to walk."

"Oh, but I have looked already!" said the little prince, turning around to give one more glance to the other side of the planet. On that side, as on this, there was nobody at all...

"Then you shall judge yourself," the king answered. "that is the most difficult thing of all. It is much more difficult to judge oneself than to judge others. If you succeed in judging yourself rightly, then you are indeed a man of true wisdom."

"Yes," said the little prince, "but I can judge myself anywhere. I do not need to live on this planet.

"Hum! Hum!" said the king. "I have good reason to believe that somewhere on my planet there is an old rat. I hear him at night. You can judge this old rat. From time to time you will condemn him to death. Thus his life will depend on your justice. But you will pardon him on each occasion; for he must be treated thriftily. He is the only one we have."

"I," replied the little prince, "do not like to condemn anyone to death. And now I think I will go on my way."

"No," said the king.

But the little prince, having now completed his preparations for departure, had no wish to grieve the old monarch.

"If Your Majesty wishes to be promptly obeyed," he said, "he should be able to give me a reasonable order. He should be able, for example, to order me to be gone by the end of one minute. It seems to me that conditions are favorable..."

As the king made no answer, the little prince hesitated a moment. Then, with a sigh, he took his leave.

"I made you my Ambassador," the king called out, hastily.

He had a magnificent air of authority.

"The grown-ups are very strange," the little prince said to himself, as he continued on his journey.

Chapter 11

The second planet was inhabited by a conceited man.

"Ah! Ah! I am about to receive a visit from an admirer!" he exclaimed from afar, when he first saw the little prince coming.

For, to conceited men, all other men are admirers.

"Good morning," said the little prince. "That is a queer hat you are wearing."

"It is a hat for salutes," the conceited man replied. "It is to raise in salute when people acclaim me. Unfortunately, nobody at all ever passes this way."

"Yes?" said the little prince, who did not understand what the conceited man was talking about.

"Clap your hands, one against the other," the conceited man now directed him.

The little prince clapped his hands. The conceited man raised his hat in a modest salute.

"This is more entertaining than the visit to the king," the little prince said to himself. And he began again to clap his hands, one against the other. The conceited man against raised his hat in salute.

After five minutes of this exercise the little prince grew tired of the game's monotony.

"And what should one do to make the hat come down?" he asked.

But the conceited man did not hear him. Conceited people never hear anything but praise.

"Do you really admire me very much?" he demanded of the little prince.

"What does that mean— 'admire'?"

"To admire mean that you regard me as the handsomest, the best-dressed, the richest, and the most intelligent man on this planet."

"But you are the only man on your planet!"

"Do me this kindness. Admire me just the same."

"I admire you," said the little prince, shrugging his shoulders slightly, "but what is there in that to interest you so much?"

And the little prince went away.

"The grown-ups are certainly very odd," he said to himself, as he continued on his journey.

Chapter 12

The next planet was inhabited by a tippler. This was a very short visit, but it plunged the little prince into deep dejection.

"What are you doing there?" he said to the tippler, whom he found settled down in silence before a collection of empty bottles and also a collection of full bottles.

"I am drinking," replied the tippler, with a lugubrious air.

"Why are you drinking?" demanded the little prince.

"So that I may forget," replied the tippler.

"Forget what?" inquired the little prince, who already was sorry for him. "

"Forget that I am ashamed," the tippler confessed, hanging his head.

"Ashamed of what?" insisted the little prince, who wanted to help him.

"Ashamed of drinking!" The tippler brought his speech to an end,

小王子

and shut himself up in an impregnable silence.

And the little prince went away, puzzled.

"The grown-ups are certainly very, very odd," he said to himself, as he continued on his journey.

Chapter 13

The fourth planet belonged to a businessman. This man was so much occupied that he did not even raise his head at the little prince's arrival.

"Good morning," the little prince said to him. "Your cigarette has gone out."

"Three and two make five. Five and seven make twelve. Twelve and three make fifteen. Good morning. Fifteen and seven make twenty-two. Twenty-two and six make twenty-eight. I haven't time to light it again. Twenty-six and five make thirty-one. Phew! That makes five-hundred-and-one-million, six-hundred-twenty-two-thousand, seven-hundred-thirty-one."

"Five hundred million what?" asked the little prince.

"Eh? Are you still there? Five-hundred-and-one million— I can't stop... I have so much to do! I am concerned with matters of consequence. I don't amuse myself with balderdash. Two and five make seven..."

"Five-hundred-and-one million what?" repeated the little prince, who never in his life had let go of a question once he had asked it.

The businessman raised his head.

"During the fifty-four years that I have inhabited this planet, I have been disturbed only three times. The first time was twenty-two years ago, when some giddy goose fell from goodness knows where. He made the most frightful noise that resounded all over the place, and I made four mistakes in my addition. The second time, eleven years ago, I was disturbed by an attack of rheumatism. I don't get enough exercise. I have no time for loafing. The third time— well, this is it! I was saying, then, five -hundred-and-one millions—"

"Millions of what?"

The businessman suddenly realized that there was no hope of being left in peace until he answered this question.

"Millions of those little objects," he said, "which one sometimes sees in the sky."

"Flies?"

"Oh, no. Little glittering objects."

"Bees?"

"Oh, no. Little golden objects that set lazy men to idle dreaming. As for me, I am concerned with matters of consequence. There is no time for idle dreaming in my life."

"Ah! You mean the stars?"

"Yes, that's it. The stars."

"And what do you do with five-hundred millions of stars?"

"Five-hundred-and-one million, six-hundred-twenty-two thousand, seven-hundred-thirty-one. I am concerned with matters of consequence: I am accurate."

"And what do you do with these stars?"

"What do I do with them?"

"Yes."

"Nothing. I own them."

"You own the stars?"

"Yes."

"But I have already seen a king who—"

"Kings do not own, they reign over. It is a very different matter."

"And what good does it do you to own the stars?"

"It does me the good of making me rich."

"And what good does it do you to be rich?"

"It makes it possible for me to buy more stars, if any are ever discovered."

"This man," the little prince said to himself, "reasons a little like my poor tippler..."

Nevertheless, he still had some more questions.

"How is it possible for one to own the stars?"

"To whom do they belong?" the businessman retorted, peevishly.

"I don't know. To nobody."

"Then they belong to me, because I was the first person to think of it."

"Is that all that is necessary?"

"Certainly. When you find a diamond that belongs to nobody, it is yours. When you discover an island that belongs to nobody, it is yours. When you get an idea before any one else, you take out a patent on it: it is yours. So with me: I own the stars, because nobody else before me ever thought of owning them."

"Yes, that is true," said the little prince. "And what do you do with them?"

"I administer them," replied the businessman. "I count them and recount them. It is difficult. But I am a man who is naturally interested in matters of consequence."

The little prince was still not satisfied.

"If I owned a silk scarf," he said, "I could put it around my neck and take it away with me. If I owned a flower, I could pluck that flower and take it away with me. But you cannot pluck the stars from heaven..."

"No. But I can put them in the bank."

"Whatever does that mean?"

"That means that I write the number of my stars on a little paper. And then I put this paper in a drawer and lock it with a key."

"And that is all?"

"That is enough," said the businessman.

"It is entertaining," thought the little prince. "It is rather poetic. But it is of no great consequence."

On matters of consequence, the little prince had ideas which were very different from those of the grown-ups.

"I myself own a flower," he continued his conversation with the businessman, "which I water every day. I own three volcanoes, which I clean out every week (for I also clean out the one that is extinct; one never knows). It is of some use to my volcanoes, and it is of some use to my flower, that I own them. But you are of no use to the stars..."

The businessman opened his mouth, but he found nothing to say in answer. And the little prince went away.

"The grown-ups are certainly altogether extraordinary," he said simply, talking to himself as he continued on his journey.

Chapter 14

The fifth planet was very strange. It was the smallest of all. There was just enough room on it for a street lamp and a lamplighter. The little prince was not able to reach any explanation of the use of a street lamp and a lamplighter, somewhere in the heavens, on a planet which had no people, and not one house. But he said to himself, nevertheless:

"It may well be that this man is absurd. But he is not so absurd as the king, the conceited man, the businessman, and the tippler. For at least his work has some meaning. When he lights his street lamp, it is as if he brought one more star to life, or one flower. When he puts out his lamp, he sends the flower, or the star, to sleep. That is a beautiful occupation. And since it is beautiful, it is truly useful."

When he arrived on the planet he respectfully saluted the lamplighter.

"Good morning. Why have you just put out your lamp?"

"Those are the orders," replied the lamplighter. "Good morning."

"What are the orders?"

"The orders are that I put out my lamp. Good evening."

And he lighted his lamp again.

"But why have you just lighted it again?"

"Those are the orders," replied the lamplighter.

"I do not understand," said the little prince.

"There is nothing to understand," said the lamplighter. "Orders are orders. Good morning."

And he put out his lamp.

Then he mopped his forehead with a handkerchief decorated with red squares.

"I follow a terrible profession. In the old days it was reasonable. I put the lamp out in the morning, and in the evening I lighted it again. I had the rest of the day for relaxation and the rest of the night for sleep."

"And the orders have been changed since that time?"

"The orders have not been changed," said the lamplighter. "That is the tragedy! From year to year the planet has turned more rapidly and the orders have not been changed!"

"Then what?" asked the little prince.

"Then— the planet now makes a complete turn every minute, and I no longer have a single second for repose. Once every minute I have to light my lamp and put it out!"

"That is very funny! A day lasts only one minute, here where you live!"

"It is not funny at all!" said the lamplighter. "While we have been talking together a month has gone by."

"A month?"

"Yes, a month. Thirty minutes. Thirty days. Good evening."

And he lighted his lamp again.

As the little prince watched him, he felt that he loved this lamplighter who was so faithful to his orders. He remembered the sunsets which he himself had gone to seek, in other days, merely by pulling up his chair; and he wanted to help his friend.

"You know," he said, "I can tell you a way you can rest whenever you want to..."

"I always want to rest," said the lamplighter.

For it is possible for a man to be faithful and lazy at the same time.

The little prince went on with his explanation:

"Your planet is so small that three strides will take you all the way around it. To be always in the sunshine, you need only walk along rather slowly. When you want to rest, you will walk— and the day will last as long as you like."

"That doesn't do me much good," said the lamplighter. "The one thing I love in life is to sleep."

"Then you're unlucky," said the little prince.

"I am unlucky," said the lamplighter. "Good morning."

And he put out his lamp.

"That man," said the little prince to himself, as he continued farther on his journey, "that man would be scorned by all the others: by the king, by the conceited man, by the tippler, by the businessman. Nevertheless he is the only one of them all who does not seem to me ridiculous. Perhaps that is because he is thinking of something else besides himself."

He breathed a sigh of regret, and said to himself, again:

"That man is the only one of them all whom I could have made my friend. But his planet is indeed too small. There is no room on it for two people..."

What the little prince did not dare confess was that he was sorry most of all to leave this planet, because it was blest every day with 1440 sunsets!

Chapter 15

The sixth planet was ten times larger than the last one. It was inhabited by an old gentleman who wrote voluminous books.

"Oh, look! Here is an explorer!" he exclaimed to himself when he saw the little prince coming.

The little prince sat down on the table and panted a little. He had already traveled so much and so far!

"Where do you come from?" the old gentleman said to him.

"What is that big book?" said the little prince. "What are you doing?"

"I am a geographer," the old gentleman said to him.

"What is a geographer?" asked the little prince.

"A geographer is a scholar who knows the location of all the seas, rivers, towns, mountains, and deserts."

"That is very interesting," said the little prince. "Here at last is a man who has a real profession!" And he cast a look around him at the planet of the geographer. It was the most magnificent and stately planet that he had ever seen.

"Your planet is very beautiful," he said. "Has it any oceans?"

"I couldn't tell you," said the geographer.

"Ah!" The little prince was disappointed. "Has it any mountains?"

"I couldn't tell you," said the geographer.

"And towns, and rivers, and deserts?"

"I couldn't tell you that, either."

"But you are a geographer!"

"Exactly," the geographer said. "But I am not an explorer. I haven't a single explorer on my planet. It is not the geographer who goes out to count the towns, the rivers, the mountains, the seas, the oceans, and the deserts. The geographer is much too important to go loafing about. He does not leave his desk. But he receives the explorers in his study. He asks them questions, and he notes down what they recall of their travels. And if the recollections of any one among them seem interesting to him, the geographer orders an inquiry into that explorer's moral character."

"Why is that?"

"Because an explorer who told lies would bring disaster on the books of the geographer. So would an explorer who drank too much."

"Why is that?" asked the little prince.

"Because intoxicated men see double. Then the geographer would note down two mountains in a place where there was only one."

"I know some one," said the little prince, "who would make a bad explorer."

"That is possible. Then, when the moral character of the explorer is shown to be good, an inquiry is ordered into his discovery."

"One goes to see it?"

"No. That would be too complicated. But one requires the explorer to furnish proofs. For example, if the discovery in question is that of a large mountain, one requires that large stones be brought back from it."

The geographer was suddenly stirred to excitement.

"But you— you come from far away! You are an explorer! You shall describe your planet to me!"

And, having opened his big register, the geographer sharpened his pencil. The recitals of explorers are put down first in pencil. One waits until the explorer has furnished proofs, before putting them down in ink.

"Well?" said the geographer expectantly.

"Oh, where I live," said the little prince, "it is not very interesting. It is all so small. I have three volcanoes. Two volcanoes are active and the other is extinct. But one never knows."

"One never knows," said the geographer.

"I have also a flower."

"We do not record flowers," said the geographer.

"Why is that? The flower is the most beautiful thing on my planet!"

"We do not record them," said the geographer, "because they are ephemeral."

"What does that mean— 'ephemeral'?"

"Geographies," said the geographer, "are the books which, of all books, are most concerned with matters of consequence. They never become old-fashioned. It is very rarely that a mountain changes its position. It is very rarely that an ocean empties itself of its waters. We write of eternal things."

"But extinct volcanoes may come to life again," the little prince interrupted. "What does that mean— 'ephemeral'?"

"Whether volcanoes are extinct or alive, it comes to the same thing for us," said the geographer. "The thing that matters to us is the mountain. It does not change."

"But what does that mean— 'ephemeral'?" repeated the little prince, who never in his life had let go of a question, once he had asked it.

"It means, 'which is in danger of speedy disappearance.'"

"Is my flower in danger of speedy disappearance?"

"Certainly it is."

"My flower is ephemeral," the little prince said to himself, "and she has only four thorns to defend herself against the world. And I have left her on my planet, all alone!"

That was his first moment of regret. But he took courage once more.

"What place would you advise me to visit now?" he asked.

"The planet Earth," replied the geographer. "It has a good reputation."

And the little prince went away, thinking of his flower.

Chapter 16

So then the seventh planet was the Earth.

The Earth is not just an ordinary planet! One can count, there 111 kings (not forgetting, to be sure, the Negro kings among them), 7000 geographers, 900,000 businessmen, 7,500,000 tipplers, 311,000,000 conceited men— that is to say, about 2,000,000,000 grown-ups.

To give you an idea of the size of the Earth, I will tell you that before the invention of electricity it was necessary to maintain, over the whole of the six continents, a veritable army of 462,511 lamplighters for the street lamps.

Seen from a slight distance, that would make a splendid spectacle. The movements of this army would be regulated like those of the ballet in the opera. First would come the turn of the lamplighters of New Zealand and Australia. Having set their lamps alight, these would go off to sleep. Next, the lamplighters of China and Siberia would enter for their steps in the dance, and then they too would be waved back into the wings. After that would come the turn of the lamplighters of Russia and the Indies; then those of Africa and Europe, then those of South America; then those of South America; then those of North America. And never would they make a mistake in the order of their entry upon the stage. It would be magnificent.

Only the man who was in charge of the single lamp at the North Pole, and his colleague who was responsible for the single lamp at the South Pole— only these two would live free from toil and care: they would be busy twice a year.

Chapter 17

When one wishes to play the wit, he sometimes wanders a little from the truth. I have not been altogether honest in what I have told you about the lamplighters. And I realize that I run the risk of giving a false idea of our planet to those who do not k now it. Men occupy a very small place upon the Earth. If the two billion inhabitants who people its surface were all to stand upright and somewhat crowded together, as they do for some big public assembly, they could easily be put into one public square twenty miles long and twenty miles wide. All humanity could be piled up on a small Pacific islet.

The grown-ups, to be sure, will not believe you when you tell them that. They imagine that they fill a great deal of space. They fancy themselves as important as the baobabs. You should advise them, then, to make their own calculations. They adore figures, and that will please them. But do not waste your time on this extra task. It is unnecessary. You have, I know, confidence in me.

When the little prince arrived on the Earth, he was very much surprised not to see any people. He was beginning to be afraid he had come to the wrong planet, when a coil of gold, the color of the moonlight, flashed across the sand.

"Good evening," said the little prince courteously.

"Good evening," said the snake.

"What planet is this on which I have come down?" asked the little prince.

"This is the Earth; this is Africa." the snake answered.

"Ah! Then there are no people on the Earth?"

"This is the desert. There are no people in the desert. The Earth is large." said the snake.

The little prince sat down on a stone, and raised his eyes toward the sky.

"I wonder," he said, "whether the stars are set alight in heaven so that one day each one of us may find his own again... Look at my planet. It is right there above us. But how far away it is!"

"It is beautiful," the snake said. "What has brought you here?"

"I have been having some trouble with a flower," said the little prince.

"Ah!" said the snake.

And they were both silent.

"Where are the men?" the little prince at last took up the conversation again. "It is a little lonely in the desert..."

"It is also lonely among men," the snake said.

The little prince gazed at him for a long time.

"You are a funny animal," he said at last. "You are no thicker than a finger..."

"But I am more powerful than the finger of a king," said the snake.

The little prince smiled.

"You are not very powerful. You haven't even any feet. You cannot even travel..."

"I can carry you farther than any ship could take you," said the snake.

He twined himself around the little prince's ankle, like a golden bracelet.

"Whomever I touch, I send back to the earth from whence he came," the snake spoke again. "But you are innocent and true, and you come from a star..."

The little prince made no reply.

"You move me to pity— you are so weak on this Earth made of granite," the snake said. "I can help you, some day, if you grow too homesick for your own planet. I can—"

"Oh! I understand you very well," said the little prince. "But why do you always speak in riddles?"

"I solve them all," said the snake.

And they were both silent.

Chapter 18

The little prince crossed the desert and met with only one flower. It was a flower with three petals, a flower of no account at all.

"Good morning," said the little prince.

"Good morning," said the flower.

"Where are the men?" the little prince asked, politely.

The flower had once seen a caravan passing.

"Men?" she echoed. "I think there are six or seven of them in existence. I saw them, several years ago. But one never knows where to find them. The wind blows them away. They have no roots, and that makes their life very difficult."

"Goodbye," said the little prince.

"Goodbye," said the flower.

Chapter 19

After that, the little prince climbed a high mountain. The only mountains he had ever known were the three volcanoes, which came up to his knees. And he used the extinct volcano as a footstool. "From a mountain as high as this one," he said to himself, "I shall be able to see the whole planet at one glance, and all the people..."

But he saw nothing, save peaks of rock that were sharpened like needles.

"Good morning," he said courteously.

"Good morning—Good morning—Good morning," answered the

echo.

"Who are you?" said the little prince.

"Who are you—Who are you—Who are you?" answered the echo.

"Be my friends. I am all alone," he said.

"I am all alone—all alone—all alone," answered the echo.

"What a queer planet!" he thought. "It is altogether dry, and altogether pointed, and altogether harsh and forbidding. And the people have no imagination. They repeat whatever one says to them... On my planet I had a flower; she always was the first to speak..."

Chapter 20

But it happened that after walking for a long time through sand, and rocks, and snow, the little prince at last came upon a road. And all roads lead to the abodes of men.

"Good morning," he said.

He was standing before a garden, all a bloom with roses.

"Good morning," said the roses.

The little prince gazed at them. They all looked like his flower.

"Who are you?" he demanded, thunderstruck.

"We are roses," the roses said.

And he was overcome with sadness. His flower had told him that she was the only one of her kind in all the universe. And here were five thousand of them, all alike, in one single garden!

"She would be very much annoyed," he said to himself, "if she should see that... she would cough most dreadfully, and she would pretend that she was dying, to avoid being laughed at. And I should be obliged to pretend that I was nursing her back to life— for if I did not do that, to humble myself also, she would really allow herself to die..."

Then he went on with his reflections: "I thought that I was rich, with a flower that was unique in all the world; and all I had was a common rose. A common rose, and three volcanoes that come up to my knees— and one of them perhaps extinct forever... that doesn't make me a very great prince..."

And he lay down in the grass and cried.

Chapter 21

It was then that the fox appeared.

"Good morning," said the fox.

"Good morning," the little prince responded politely, although when he turned around he saw nothing.

"I am right here," the voice said, "under the apple tree."

"Who are you?" asked the little prince, and added, "You are very pretty to look at."

"I am a fox," said the fox.

"Come and play with me," proposed the little prince. "I am so unhappy."

"I cannot play with you," the fox said. "I am not tamed."

"Ah! Please excuse me," said the little prince.

But, after some thought, he added:

"What does that mean— 'tame'?"

"You do not live here," said the fox. "What is it that you are looking for?"

"I am looking for men," said the little prince. "What does that mean— 'tame'?"

"Men," said the fox. "They have guns, and they hunt. It is very disturbing. They also raise chickens. These are their only interests. Are you looking for chickens?"

"No," said the little prince. "I am looking for friends. What does that mean— 'tame'?"

"It is an act too often neglected," said the fox. "It means to establish ties."

"'To establish ties'?"

"Just that," said the fox. "To me, you are still nothing more than a little boy who is just like a hundred thousand other little boys. And I have no need of you. And you, on your part, have no need of me. To you, I am nothing more than a fox like a hundred thousand other foxes. But if you tame me, then we shall need each other. To me, you will be unique in all the world. To you, I shall be unique in all the world..."

"I am beginning to understand," said the little prince. "There is a flower... I think that she has tamed me..."

"It is possible," said the fox. "On the Earth one sees all sorts of things."

"Oh, but this is not on the Earth!" said the little prince.

The fox seemed perplexed, and very curious.

"On another planet?"

"Yes."

"Are there hunters on this planet?"

"No."

"Ah, that is interesting! Are there chickens?"

"No."

"Nothing is perfect," sighed the fox.

But he came back to his idea.

"My life is very monotonous," the fox said. "I hunt chickens; men hunt me. All the chickens are just alike, and all the men are just alike. And, in consequence, I am a little bored. But if you tame me, it will be as if the sun came to shine on my life. I shall know the sound of a step that will be different from all the others. Other steps send me hurrying back underneath the ground. Yours will call me, like music, out of my burrow. And then look: you see the grain-fields down yonder? I do not eat bread. Wheat is of no use to me. The wheat fields have nothing to say to me. And that is sad. But you have hair that is the colour of gold. Think how wonderful that will be when you have tamed me! The grain, which is also golden, will bring me back the thought of you. And I shall love to listen to the wind in the wheat..."

The fox gazed at the little prince, for a long time.

"Please— tame me!" he said.

"I want to, very much," the little prince replied. "But I have not much time. I have friends to discover, and a great many things to understand."

"One only understands the things that one tames," said the fox. "Men have no more time to understand anything. They buy things all ready made at the shops. But there is no shop anywhere where one can buy friendship, and so men have no friends any more. If you want a friend, tame me..."

"What must I do, to tame you?" asked the little prince.

"You must be very patient," replied the fox. "First you will sit down at a little distance from me— like that— in the grass. I shall look at you out of the corner of my eye, and you will say nothing. Words are the source of misunderstandings. But you will sit a little closer to me, every day..."

The next day the little prince came back.

"It would have been better to come back at the same hour," said the fox. "If, for example, you come at four o'clock in the afternoon, then at three o'clock I shall begin to be happy. I shall feel happier and happier as the hour advances. At four o'clock, I shall already be worrying and jumping about. I shall show you how happy I am! But if you come at just any time, I shall never know at what hour my heart is to be ready to greet you... One must observe the proper rites..."

"What is a rite?" asked the little prince.

"Those also are actions too often neglected," said the fox. "They are what make one day different from other days, one hour from other hours. There is a rite, for example, among my hunters. Every Thursday they dance with the village girls. So Thursday is a wonderful day for me! I can take a walk as far as the vineyards. But if the hunters danced at just any time, every day would be like every other day, and I should never have any vacation at all."

So the little prince tamed the fox. And when the hour of his departure drew near—

"Ah," said the fox, "I shall cry."

"It is your own fault," said the little prince. "I never wished you any sort of harm; but you wanted me to tame you..."

"Yes, that is so," said the fox.

"But now you are going to cry!" said the little prince.

"Yes, that is so," said the fox.

"Then it has done you no good at all!"

"It has done me good," said the fox, "because of the color of the wheat fields." And then he added:

"Go and look again at the roses. You will understand now that yours is unique in all the world. Then come back to say goodbye to me, and I will make you a present of a secret."

The little prince went away, to look again at the roses.

"You are not at all like my rose," he said. "As yet you are nothing. No one has tamed you, and you have tamed no one. You are like my fox when I first knew him. He was only a fox like a hundred thousand other foxes. But I have made him my friend, and now he is unique in all the world."

And the roses were very much embarrassed.

"You are beautiful, but you are empty," he went on. "One could not die for you. To be sure, an ordinary passerby would think that my rose looked just like you— the rose that belongs to me. But in herself alone she is more important than all the hundreds of you other roses:

because it is she that I have watered; because it is she that I have put under the glass globe; because it is she that I have sheltered behind the screen; because it is for her that I have killed the caterpillars (except the two or three that we saved to become butterflies); because it is she that I have listened to, when she grumbled, or boasted, or even sometimes when she said nothing. Because she is my rose."

And he went back to meet the fox.

"Goodbye," he said.

"Goodbye," said the fox. "And now here is my secret, a very simple secret: It is only with the heart that one can see rightly; what is essential is invisible to the eye."

"What is essential is invisible to the eye," the little prince repeated, so that he would be sure to remember.

"It is the time you have wasted for your rose that makes your rose so important."

"It is the time I have wasted for my rose—" said the little prince, so that he would be sure to remember.

"Men have forgotten this truth," said the fox. "But you must not forget it. You become responsible, forever, for what you have tamed. You are responsible for your rose..."

"I am responsible for my rose," the little prince repeated, so that he would be sure to remember.

Chapter 22

"Good morning," said the little prince.

"Good morning," said the railway switchman.

"What do you do here?" the little prince asked.

"I sort out travelers, in bundles of a thousand," said the switchman. "I send off the trains that carry them; now to the right, now to the left."

And a brilliantly lighted express train shook the switchman's cabin as it rushed by with a roar like thunder.

"They are in a great hurry," said the little prince. "What are they looking for?"

"Not even the locomotive engineer knows that," said the switchman.

And a second brilliantly lighted express thundered by, in the opposite direction.

"Are they coming back already?" demanded the little prince.

"These are not the same ones," said the switchman. "It is an exchange."

"Were they not satisfied where they were?" asked the little prince.

"No one is ever satisfied where he is," said the switchman.

And they heard the roaring thunder of a third brilliantly lighted express.

"Are they pursuing the first travelers?" demanded the little prince.

"They are pursuing nothing at all," said the switchman. "They are asleep in there, or if they are not asleep they are yawning. Only the children are flattening their noses against the windowpanes."

"Only the children know what they are looking for," said the little prince. "They waste their time over a rag doll and it becomes very important to them; and if anybody takes it away from them, they cry..."

"They are lucky," the switchman said.

Chapter 23

"Good morning," said the little prince.

"Good morning," said the merchant.

This was a merchant who sold pills that had been invented to quench thirst. You need only swallow one pill a week, and you would feel no need of anything to drink.

"Why are you selling those?" asked the little prince.

"Because they save a tremendous amount of time," said the merchant. "Computations have been made by experts. With these pills, you save fifty-three minutes in every week."

"And what do I do with those fifty-three minutes?"

"Anything you like..."

"As for me," said the little prince to himself, "if I had fifty-three minutes to spend as I liked, I should walk at my leisure toward a spring of fresh water."

Chapter 24

It was now the eighth day since I had had my accident in the desert, and I had listened to the story of the merchant as I was drinking the last drop of my water supply.

"Ah," I said to the little prince, "these memories of yours are very charming; but I have not yet succeeded in repairing my plane; I have nothing more to drink; and I, too, should be very happy if I could walk at my leisure toward a spring of fresh water!"

"My friend the fox—" the little prince said to me.

"My dear little man, this is no longer a matter that has anything to do with the fox!"

"Why not?"

"Because I am about to die of thirst..."

He did not follow my reasoning, and he answered me:

"It is a good thing to have had a friend, even if one is about to die. I, for instance, am very glad to have had a fox as a friend..."

"He has no way of guessing the danger," I said to myself. "He has never been either hungry or thirsty. A little sunshine is all he needs..."

But he looked at me steadily, and replied to my thought:

"I am thirsty, too. Let us look for a well..."

I made a gesture of weariness. It is absurd to look for a well, at random, in the immensity of the desert. But nevertheless we started walking.

When we had trudged along for several hours, in silence, the darkness fell, and the stars began to come out. Thirst had made me a little feverish, and I looked at them as if I were in a dream. The little prince's last words came reeling back into my memory:

"Then you are thirsty, too?" I demanded.

But he did not reply to my question. He merely said to me:

"Water may also be good for the heart..."

I did not understand this answer, but I said nothing. I knew very well that it was impossible to cross-examine him.

He was tired. He sat down. I sat down beside him. And, after a little silence, he spoke again:

"The stars are beautiful, because of a flower that cannot be seen."

I replied, "Yes, that is so." And, without saying anything more, I looked across the ridges of sand that were stretched out before us in the moonlight.

"The desert is beautiful," the little prince added.

And that was true. I have always loved the desert. One sits down on a desert sand dune, sees nothing, hears nothing. Yet through the silence something throbs, and gleams...

"What makes the desert beautiful," said the little prince, "is that somewhere it hides a well..."

I was astonished by a sudden understanding of that mysterious radiation of the sands. When I was a little boy I lived in an old house,

and legend told us that a treasure was buried there. To be sure, no one had ever known how to find it; perhaps no one had ever even looked for it. But it cast an enchantment over that house. My home was hiding a secret in the depths of its heart...

"Yes," I said to the little prince. "The house, the stars, the desert— what gives them their beauty is something that is invisible!"

"I am glad," he said, "that you agree with my fox."

As the little prince dropped off to sleep, I took him in my arms and set out walking once more. I felt deeply moved, and stirred. It seemed to me that I was carrying a very fragile treasure. It seemed to me, even, that there was nothing more fragile on all Earth. In the moonlight I looked at his pale forehead, his closed eyes, his locks of hair that trembled in the wind, and I said to myself: "What I see here is nothing but a shell. What is most important is invisible..."

As his lips opened slightly with the suspicious of a half-smile, I said to myself, again: "What moves me so deeply, about this little prince who is sleeping here, is his loyalty to a flower— the image of a rose that shines through his whole being like the flame of a lamp, even when he is asleep..." And I felt him to be more fragile still. I felt the need of protecting him, as if he himself were a flame that might be extinguished by a little puff of wind...

And, as I walked on so, I found the well, at daybreak.

Chapter 25

"Men," said the little prince, "set out on their way in express trains, but they do not know what they are looking for. Then they rush about, and get excited, and turn round and round..."

And he added:

"It is not worth the trouble..."

The well that we had come to was not like the wells of the Sahara. The wells of the Sahara are mere holes dug in the sand. This one was like a well in a village. But there was no village here, and I thought I must be dreaming...

"It is strange," I said to the little prince. "Everything is ready for use: the pulley, the bucket, the rope..."

He laughed, touched the rope, and set the pulley to working. And the pulley moaned, like an old weathervane which the wind has long since forgotten.

"Do you hear?" said the little prince. "We have wakened the well, and it is singing..."

I did not want him to tire himself with the rope.

"Leave it to me," I said. "It is too heavy for you."

I hoisted the bucket slowly to the edge of the well and set it there— happy, tired as I was, over my achievement. The song of the pulley was still in my ears, and I could see the sunlight shimmer in the still trembling water.

"I am thirsty for this water," said the little prince. "Give me some of it to drink..."

And I understood what he had been looking for.

I raised the bucket to his lips. He drank, his eyes closed. It was as sweet as some special festival treat. This water was indeed a different thing from ordinary nourishment. Its sweetness was born of the walk under the stars, the song of the pulley, the effort of my arms. It was good for the heart, like a present. When I was a little boy, the lights of the Christmas tree, the music of the Midnight Mass, the tenderness of smiling faces, used to make up, so, the radiance of the gifts I received.

"The men where you live," said the little prince, "raise five thousand roses in the same garden— and they do not find in it what they are looking for."

"They do not find it," I replied.

"And yet what they are looking for could be found in one single rose, or in a little water."

"Yes, that is true," I said.

And the little prince added:

"But the eyes are blind. One must look with the heart..."

I had drunk the water. I breathed easily. At sunrise the sand is the color of honey. And that honey color was making me happy, too. What brought me, then, this sense of grief?

"You must keep your promise," said the little prince, softly, as he sat down beside me once more.

"What promise?"

"You know— a muzzle for my sheep... I am responsible for this flower..."

I took my rough drafts of drawings out of my pocket. The little prince looked them over, and laughed as he said:

"Your baobabs— they look a little like cabbages."

"Oh!"

I had been so proud of my baobabs!

"Your fox— his ears look a little like horns; and they are too long."

And he laughed again.

"You are not fair, little prince," I said. "I don't know how to draw anything except boa constrictors from the outside and boa constrictors from the inside."

"Oh, that will be all right," he said, "children understand."

So then I made a pencil sketch of a muzzle. And as I gave it to him my heart was torn.

"You have plans that I do not know about," I said.

But he did not answer me. He said to me, instead:

"You know— my descent to the earth... Tomorrow will be its anniversary."

Then, after a silence, he went on:

"I came down very near here."

And he flushed.

And once again, without understanding why, I had a queer sense of sorrow. One question, however, occurred to me:

"Then it was not by chance that on the morning when I first met you— a week ago— you were strolling along like that, all alone, a thousand miles from any inhabited region? You were on the your back to the place where you landed?"

The little prince flushed again.

And I added, with some hesitancy:

"Perhaps it was because of the anniversary?"

The little prince flushed once more. He never answered questions— but when one flushes does that not mean "Yes"?

"Ah," I said to him, "I am a little frightened—"

But he interrupted me.

"Now you must work. You must return to your engine. I will be waiting for you here. Come back tomorrow evening..."

But I was not reassured. I remembered the fox. One runs the risk of weeping a little, if one lets himself be tamed...

Chapter 26

Beside the well there was the ruin of an old stone wall. When I came back from my work, the next evening, I saw from some distance away my little price sitting on top of a wall, with his feet dangling. And I heard him say:

"Then you don't remember. This is not the exact spot."

Another voice must have answered him, for he replied to it:

"Yes, yes! It is the right day, but this is not the place."

I continued my walk toward the wall. At no time did I see or hear anyone. The little prince, however, replied once again:

"—Exactly. You will see where my track begins, in the sand. You have nothing to do but wait for me there. I shall be there tonight."

I was only twenty metres from the wall, and I still saw nothing.

After a silence the little prince spoke again:

"You have good poison? You are sure that it will not make me suffer too long?"

I stopped in my tracks, my heart torn asunder; but still I did not understand.

"Now go away," said the little prince. "I want to get down from the wall."

I dropped my eyes, then, to the foot of the wall— and I leaped into the air. There before me, facing the little prince, was one of those yellow snakes that take just thirty seconds to bring your life to an end. Even as I was digging into my pocked to get out my revolver I made a running step back. But, at the noise I made, the snake let himself flow easily across the sand like the dying spray of a fountain, and, in no apparent hurry, disappeared, with a light metallic sound, among the stones.

I reached the wall just in time to catch my little man in my arms; his face was white as snow.

"What does this mean?" I demanded. "Why are you talking with snakes?"

I had loosened the golden muffler that he always wore. I had moistened his temples, and had given him some water to drink. And now I did not dare ask him any more questions. He looked at me very gravely, and put his arms around my neck. I felt his heart beating like the heart of a dying bird, shot with someone's rifle...

"I am glad that you have found what was the matter with your engine," he said. "Now you can go back home—"

"How do you know about that?"

I was just coming to tell him that my work had been successful, beyond anything that I had dared to hope.

He made no answer to my question, but he added:

"I, too, am going back home today..."

Then, sadly—

"It is much farther... it is much more difficult..."

I realised clearly that something extraordinary was happening. I was holding him close in my arms as if he were a little child; and yet it seemed to me that he was rushing headlong toward an abyss from which I could do nothing to restrain him...

His look was very serious, like some one lost far away.

"I have your sheep. And I have the sheep's box. And I have the muzzle..."

And he gave me a sad smile.

I waited a long time. I could see that he was reviving little by little.

"Dear little man," I said to him, "you are afraid..."

He was afraid, there was no doubt about that. But he laughed lightly.

"I shall be much more afraid this evening..."

Once again I felt myself frozen by the sense of something irreparable. And I knew that I could not bear the thought of never hearing that laughter any more. For me, it was like a spring of fresh water in the desert.

"Little man," I said, "I want to hear you laugh again."

But he said to me:

"Tonight, it will be a year... my star, then, can be found right above the place where I came to the Earth, a year ago..."

"Little man," I said, "tell me that it is only a bad dream— this affair of the snake, and the meeting-place, and the star..."

But he did not answer my plea. He said to me, instead: "The thing that is important is the thing that is not seen..."

"Yes, I know..."

"It is just as it is with the flower. If you love a flower that lives on a star, it is sweet to look at the sky at night. All the stars are a-bloom with flowers..."

"Yes, I know..."

"It is just as it is with the water. Because of the pulley, and the rope, what you gave me to drink was like music. You remember— how good it was."

"Yes, I know..."

"And at night you will look up at the stars. Where I live everything is so small that I cannot show you where my star is to be found. It is better, like that. My star will just be one of the stars, for you. And so you will love to watch all the stars in the heavens... they will all be your friends. And, besides, I am going to make you a present..."

He laughed again.

"Ah, little prince, dear little prince! I love to hear that laughter!"

"That is my present. Just that. It will be as it was when we drank the water..."

"What are you trying to say?"

"All men have the stars," he answered, "but they are not the same things for different people. For some, who are travelers, the stars are guides. For others they are no more than little lights in the sky. For others, who are scholars, they are problems . For my businessman they were wealth. But all these stars are silent. You— you alone— will have the stars as no one else has them—"

"What are you trying to say?"

"In one of the stars I shall be living. In one of them I shall be laughing. And so it will be as if all the stars were laughing, when you look at the sky at night... you— only you— will have stars that can laugh!"

And he laughed again.

"And when your sorrow is comforted (time soothes all sorrows) you will be content that you have known me. You will always be my friend. You will want to laugh with me. And you will sometimes open your window, so, for that pleasure... and your friends w ill be properly astonished to see you laughing as you look up at the sky! Then you will say to them, 'Yes, the stars always make me laugh!' And they will think you are crazy. It will be a very shabby trick that I shall have played on you..."

And he laughed again.

"It will be as if, in place of the stars, I had given you a great number of little bells that knew how to laugh..."

And he laughed again. Then he quickly became serious:

"Tonight—you know... do not come," said the little prince.

"I shall not leave you," I said.

"I shall look as if I were suffering. I shall look a little as if I were dying. It is like that. Do not come to see that. It is not worth the trouble..."

"I shall not leave you."

But he was worried.

"I tell you— it is also because of the snake. He must not bite you. Snakes— they are malicious creatures. This one might bite you just for fun..."

"I shall not leave you."

But a thought came to reassure him:

"It is true that they have no more poison for a second bite."

That night I did not see him set out on his way. He got away from me without making a sound. When I succeeded in catching up with him he was walking along with a quick and resolute step. He said to me merely:

"Ah! You are there..."

And he took me by the hand. But he was still worrying.

"It was wrong of you to come. You will suffer. I shall look as if I were dead; and that will not be true..."

I said nothing.

"You understand... it is too far. I cannot carry this body with me. It is too heavy."

I said nothing.

"But it will be like an old abandoned shell. There is nothing sad about old shells..."

I said nothing.

He was a little discouraged. But he made one more effort:

"You know, it will be very nice. I, too, shall look at the stars. All the stars will be wells with a rusty pulley. All the stars will pour out fresh water for me to drink..."

I said nothing.

"That will be so amusing! You will have five hundred million little bells, and I shall have five hundred million springs of fresh water..."

And he too said nothing more, because he was crying...

"Here it is. Let me go on by myself."

And he sat down, because he was afraid. Then he said, again:

"You know— my flower... I am responsible for her. And she is so weak! She is so naive! She has four thorns, of no use at all, to protect herself against all the world..."

I too sat down, because I was not able to stand up any longer.

"There now— that is all..."

He still hesitated a little; then he got up. He took one step. I could not move.

There was nothing but a flash of yellow close to his ankle. He remained motionless for an instant. He did not cry out. He fell as gently as a tree falls. There was not even any sound, because of the sand.

Chapter 27

And now six years have already gone by...

I have never yet told this story. The companions who met me on my return were well content to see me alive. I was sad, but I told them: "I am tired."

Now my sorrow is comforted a little. That is to say— not entirely. But I know that he did go back to his planet, because I did not find his body at daybreak. It was not such a heavy body... and at night I love to listen to the stars. It is like five hundred million little bells...

But there is one extraordinary thing... when I drew the muzzle for the little prince, I forgot to add the leather strap to it. He will never have been able to fasten it on his sheep. So now I keep wondering: what is happening on his planet? Perhaps the sheep has eaten the flower...

At one time I say to myself: "Surely not! The little prince shuts his flower under her glass globe every night, and he watches over his sheep very carefully..." Then I am happy. And there is sweetness in the laughter of all the stars.

But at another time I say to myself: "At some moment or other one is absent-minded, and that is enough! On some one evening he forgot the glass globe, or the sheep got out, without making any noise, in the night..." And then the little bells are changed to tears...

Here, then, is a great mystery. For you who also love the little prince, and for me, nothing in the universe can be the same if somewhere, we do not know where, a sheep that we never saw has— yes or no?— eaten a rose...

Look up at the sky. Ask yourselves: is it yes or no? Has the sheep eaten the flower? And you will see how everything changes...

And no grown-up will ever understand that this is a matter of so much importance!

This is, to me, the loveliest and saddest landscape in the world. It is the same as that on the preceding page, but I have drawn it again to impress it on your memory. It is here that the little prince appeared on Earth, and disappeared.

Look at it carefully so that you will be sure to recognise it in case you travel some day to the African desert. And, if you should come upon this spot, please do not hurry on. Wait for a time, exactly under the star. Then, if a little man appears who laughs, who has golden hair and who refuses to answer questions, you will know who he is. If this should happen, please comfort me. Send me word that he has come back.

Le Petit Prince

Chapitre 1

Lorsque j'avais six ans j'ai vu, une fois, une magnifique image, dans un livre sur la Forêt Vierge qui s'appelait "Histoires vécues". Ça représentait un serpent boa qui avalait un fauve. Voilà la copie du dessin.

On disait dans le livre : " Les serpents boas avalent leur proie tout entière, sans la mâcher. Ensuite ils ne peuvent plus bouger et ils dorment pendant les six mois de leur digestion ".

J'ai alors beaucoup réfléchi sur les aventures de la jungle et, à mon tour, j'ai réussi, avec un crayon de couleur, à tracer mon premier dessin. Mon dessin numéro 1. Il était comme ça :

J'ai montré mon chef-d'œuvre aux grandes personnes et je leur ai demandé si mon dessin leur faisait peur.

Elles m'ont répondu :

– "Pourquoi un chapeau ferait-il peur ?"

Mon dessin ne représentait pas un chapeau. Il représentait un serpent boa qui digérait un éléphant. J'ai alors dessiné l'intérieur du serpent boa, afin que les grandes personnes puissent comprendre. Elles ont toujours besoin d'explications. Mon dessin numéro 2 était comme ça:

Les grandes personnes m'ont conseillé de laisser de côté les dessins de serpents boas ouverts ou fermés, et de m'intéresser plutôt à la géographie, à l'histoire, au calcul et à la grammaire. C'est ainsi que j'ai abandonné, à l'âge de six ans, une magnifique carrière de peintre. J'avais été découragé par l'insuccès de mon dessin numéro 1 et de mon dessin numéro 2. Les grandes personnes ne comprennent jamais rien toutes seules, et c'est fatigant, pour les enfants, de toujours leur donner des explications.

J'ai donc dû choisir un autre métier et j'ai appris à piloter des avions. J'ai volé un peu partout dans le monde. Et la géographie, c'est exact, m'a beaucoup servi. Je savais reconnaître, du premier coup d'œil, la Chine de l'Arizona. C'est très utile, si l'on est égaré pendant la nuit.

J'ai ainsi eu, au cours de ma vie, des tas de contacts avec des tas de gens sérieux. J'ai beaucoup vécu chez les grandes personnes. Je les ai vues de très près. Ça n'a pas trop amélioré mon opinion.

Quand j'en rencontrais une qui me paraissait un peu lucide, je faisais l'expérience sur elle de mon dessin n° 1 que j'ai toujours conservé. Je voulais savoir si elle était vraiment compréhensive. Mais toujours elle me répondait :– C'est un chapeau. Alors je ne lui parlais ni de serpents boas, ni de forêts vierges, ni d'étoiles. Je me mettais à sa portée. Je lui parlais de bridge, de golf, de politique et de cravates. Et la grande personne était bien contente de connaître un homme aussi raisonnable.

Chapitre 2

J'ai ainsi vécu seul, sans personne avec qui parler véritablement, jusqu'à une panne dans le désert du Sahara, il y a six ans. Quelque chose s'était cassé dans mon moteur. Et comme je n'avais avec moi ni mécanicien, ni passagers, je me préparai à essayer de réussir, tout seul, une réparation difficile. C'était pour moi une question de vie ou de mort. J'avais à peine de l'eau à boire pour huit jours.

Le premier soir je me suis donc endormi sur le sable à mille milles de toute terre habitée. J'étais bien plus isolé qu'un naufragé sur un radeau au milieu de l'océan. Alors vous imaginez ma surprise, au lever du jour, quand une drôle de petite voix m'a réveillé. Elle disait :

– S'il vous plaît… dessine-moi un mouton !

– Hein !

– Dessine-moi un mouton…

J'ai sauté sur mes pieds comme si j'avais été frappé par la foudre. J'ai bien frotté mes yeux. J'ai bien regardé. Et j'ai vu un petit bonhomme tout à fait extraordinaire qui me considérait gravement. Voilà le meilleur portrait que, plus tard, j'ai réussi à faire de lui. Mais mon dessin, bien sûr, est beaucoup moins ravissant que le modèle. Ce n'est pas ma faute. J'avais été découragé dans ma carrière de peintre par les grandes personnes, à l'âge de six ans, et je n'avais rien appris à dessiner, sauf les boas fermés et les boas ouverts.

Je regardai donc cette apparition avec des yeux tout ronds d'étonnement. N'oubliez pas que je me trouvais à mille milles de toute région habitée. Or mon petit bonhomme ne me semblait ni égaré, ni mort de fatigue, ni mort de faim, ni mort de soif, ni mort de peur. Il n'avait en rien l'apparence d'un enfant perdu au milieu du désert, à mille milles de toute région habitée. Quand je réussis enfin à parler, je lui dis :

– Mais… qu'est-ce que tu fais là ?

Et il me répéta alors, tout doucement, comme une chose très sérieuse :

– S'il vous plaît… dessine-moi un mouton…

Quand le mystère est trop impressionnant, on n'ose pas désobéir. Aussi absurde que cela me semblât à mille milles de tous les endroits habités et en danger de mort, je sortis de ma poche une feuille de papier et un stylographe. Mais je me rappelai alors que j'avais surtout étudié la géographie, l'histoire, le calcul et la grammaire et je dis au petit bonhomme (avec un peu de mauvaise humeur) que je ne savais pas dessiner. Il me répondit :

– Ça ne fait rien. Dessine-moi un mouton.

Comme je n'avais jamais dessiné un mouton je refis, pour lui, l'un des deux seuls dessins dont j'étais capable. Celui du boa fermé. Et je fus stupéfait d'entendre le petit bonhomme me répondre :

– Non ! Non ! Je ne veux pas d'un éléphant dans un boa. Un boa c'est très dangereux, et un éléphant c'est très encombrant. Chez moi c'est tout petit. J'ai besoin d'un mouton. Dessine-moi un mouton.

Alors j'ai dessiné.

Il regarda attentivement, puis :

– Non ! Celui-là est déjà très malade. Fais-en un autre.

Je dessinai :

Mon ami sourit gentiment, avec indulgence :

– Tu vois bien… ce n'est pas un mouton, c'est un bélier. Il a des cornes…

Je refis donc encore mon dessin :

Mais il fut refusé, comme les précédents :

– Celui-là est trop vieux. Je veux un mouton qui vive longtemps.

Alors, faute de patience, comme j'avais hâte de commencer le démontage de mon moteur, je griffonnai ce dessin-ci.

Et je lançai :

– Ça c'est la caisse. Le mouton que tu veux est dedans.

Mais je fus bien surpris de voir s'illuminer le visage de mon jeune juge :

– C'est tout à fait comme ça que je le voulais ! Crois-tu qu'il faille beaucoup d'herbe à ce mouton ?

– Pourquoi ?

– Parce que chez moi c'est tout petit…

– Ça suffira sûrement. Je t'ai donné un tout petit mouton.

Il pencha la tête vers le dessin :

– Pas si petit que ça… Tiens ! Il s'est endormi…

Et c'est ainsi que je fis la connaissance du petit prince.

Chapitre 3

Il me fallut longtemps pour comprendre d'où il venait. Le petit prince, qui me posait beaucoup de questions, ne semblait jamais entendre les miennes. Ce sont des mots prononcés par hasard qui, peu à peu, m'ont tout révélé. Ainsi, quand il aperçut pour la première fois mon avion (je ne dessinerai pas mon avion, c'est un dessin beaucoup trop compliqué pour moi) il me demanda :

– Qu'est-ce que c'est que cette chose-là ?

– Ce n'est pas une chose. Ça vole. C'est un avion. C'est mon avion.

Et j'étais fier de lui apprendre que je volais. Alors il s'écria :

– Comment ! tu es tombé du ciel !

– Oui, fis-je modestement.

– Ah ! ça c'est drôle…

Et le petit prince eut un très joli éclat de rire qui m'irrita beaucoup. Je désire que l'on prenne mes malheurs au sérieux. Puis il ajouta :

– Alors, toi aussi tu viens du ciel ! De quelle planète es-tu ?

J'entrevis aussitôt une lueur, dans le mystère de sa présence, et j'interrogeai brusquement :

– Tu viens donc d'une autre planète ?

Mais il ne me répondit pas. Il hochait la tête doucement tout en regardant mon avion :

– C'est vrai que, là-dessus, tu ne peux pas venir de bien loin…

Et il s'enfonça dans une rêverie qui dura longtemps. Puis, sortant mon mouton de sa poche, il se plongea dans la contemplation de son trésor.

Vous imaginez combien j'avais pu être intrigué par cette demi-confidence sur " les autres planètes ". Je m'efforçai donc d'en savoir plus long :

– D'où viens-tu mon petit bonhomme ? Où est-ce " chez toi " ? Où veux-tu emporter mon mouton ?

Il me répondit après un silence méditatif :

– Ce qui est bien, avec la caisse que tu m'as donnée, c'est que, la nuit, ça lui servira de maison.

– Bien sûr. Et si tu es gentil, je te donnerai aussi une corde pour l'attacher pendant le jour. Et un piquet.

La proposition parut choquer le petit prince :

– L'attacher ? Quelle drôle d'idée !

– Mais si tu ne l'attaches pas, il ira n'importe où, et il se perdra.

Et mon ami eut un nouvel éclat de rire :

– Mais où veux-tu qu'il aille !

– N'importe où. Droit devant lui…

Alors le petit prince remarqua gravement :

– Ça ne fait rien, c'est tellement petit, chez moi !

Et, avec un peu de mélancolie, peut-être, il ajouta :

Droit devant soi on ne peut pas aller bien loin…

Chapitre 4

J'avais ainsi appris une seconde chose très importante : C'est que sa planète d'origine était à peine plus grande qu'une maison !

Ça ne pouvait pas m'étonner beaucoup. Je savais bien qu'en dehors des grosses planètes comme la Terre, Jupiter, Mars, Vénus, auxquelles on a donné des noms, il y en a des centaines d'autres qui sont quelquefois si petites qu'on a beaucoup de mal à les apercevoir au télescope. Quand un astronome découvre l'une d'elles, il lui donne pour nom un numéro. Il l'appelle par exemple : " l'astéroïde 3251. "

J'ai de sérieuses raisons de croire que la planète d'où venait le petit prince est l'astéroïde B 612. Cet astéroïde n'a été aperçu qu'une fois au télescope, en 1909, par un astronome turc.

Il avait fait alors une grande démonstration de sa découverte à un Congrès International d'Astronomie. Mais personne ne l'avait cru à cause de son costume. Les grandes personnes sont comme ça.

Heureusement pour la réputation de l'astéroïde B 612 un dictateur turc imposa à son peuple, sous peine de mort, de s'habiller à l'Européenne. L'astronome refit sa démonstration en 1920, dans un habit très élégant. Et cette fois-ci tout le monde fut de son avis.

Si je vous ai raconté ces détails sur l'astéroïde B 612 et si je vous ai confié son numéro, c'est à cause des grandes personnes. Les grandes personnes aiment les chiffres. Quand vous leur parlez d'un nouvel ami, elles ne vous questionnent jamais sur l'essentiel. Elles ne vous disent jamais : " Quel est le son de sa voix ? Quels sont les jeux qu'il préfère ? Est-ce qu'il collectionne les papillons ? " Elles vous demandent : " Quel âge a-t-il ? Combien a-t-il de frères ? Combien pèse-t-il ? Combien gagne son père ? " Alors seulement elles croient le connaître. Si vous dites aux grandes personnes : " J'ai vu une belle maison en briques roses, avec des géraniums aux fenêtres et des colombes sur le toit… " elles ne parviennent pas à s'imaginer cette maison. Il faut leur dire : " J'ai vu une maison de cent mille francs. " Alors elles s'écrient : " Comme c'est joli ! "

Ainsi, si vous leur dites : " La preuve que le petit prince a existé c'est qu'il était ravissant, qu'il riait, et qu'il voulait un mouton. Quand on veut un mouton, c'est la preuve qu'on existe " elles hausseront les épaules et vous traiteront d'enfant ! Mais si vous leur dites : " La planète d'où il venait est l'astéroïde B 612 " alors elles seront convaincues, et elles vous laisseront tranquille avec leurs questions. Elles sont comme ça. Il ne faut pas leur en vouloir. Les enfants doivent être très indulgents envers les grandes personnes.

Mais, bien sûr, nous qui comprenons la vie, nous nous moquons bien des numéros ! J'aurais aimé commencer cette histoire à la façon des contes de fées. J'aurais aimé dire :

" Il était une fois un petit prince qui habitait une planète à peine plus grande que lui, et qui avait besoin d'un ami… " Pour ceux qui comprennent la vie, ça aurait eu l'air beaucoup plus vrai.

Car je n'aime pas qu'on lise mon livre à la légère. J'éprouve tant de chagrin à raconter ces souvenirs. Il y a six ans déjà que mon ami s'en est allé avec son mouton. Si j'essaie ici de le décrire, c'est afin de ne pas l'oublier. C'est triste d'oublier un ami. Tout le monde n'a pas eu un ami. Et je puis devenir comme les grandes personnes qui ne s'intéressent plus qu'aux chiffres. C'est donc pour ça encore que j'ai acheté une boîte de couleurs et des crayons. C'est dur de se remettre au dessin, à mon âge, quand on n'a jamais fait d'autres tentatives que celle d'un boa fermé et celle d'un boa ouvert, à l'âge de six ans ! J'essaierai, bien sûr, de faire des portraits le plus ressemblants possible. Mais je ne suis pas tout à fait certain de réussir. Un dessin va, et l'autre ne ressemble plus. Je me trompe un peu aussi sur la taille. Ici le petit prince est trop grand. Là il est trop petit. J'hésite aussi sur la couleur de son costume. Alors je tâtonne comme ci et comme ça, tant bien que mal. Je me tromperai enfin sur certains détails plus importants. Mais ça, il faudra me le pardonner. Mon ami ne donnait jamais d'explications. Il me croyait peut-être semblable à lui. Mais moi, malheureusement, je ne sais pas voir les moutons à travers les caisses. Je suis peut-être un peu comme les grandes personnes. J'ai dû vieillir.

Chapitre 5

Chaque jour j'apprenais quelque chose sur la planète, sur le départ, sur le voyage. Ça venait tout doucement, au hasard des réflexions. C'est ainsi que, le troisième jour, je connus le drame des baobabs.

Cette fois-ci encore ce fut grâce au mouton, car brusquement le petit prince m'interrogea, comme pris d'un doute grave :

– C'est bien vrai, n'est-ce pas, que les moutons mangent les arbustes ?

– Oui. C'est vrai.

– Ah ! Je suis content.

Je ne compris pas pourquoi il était si important que les moutons mangeassent les arbustes. Mais le petit prince ajouta :

– Par conséquent ils mangent aussi les baobabs ?

Je fis remarquer au petit prince que les baobabs ne sont pas des arbustes, mais des arbres grands comme des églises et que, si même il emportait avec lui tout un troupeau d'éléphants, ce troupeau ne viendrait pas à bout d'un seul baobab.

L'idée du troupeau d'éléphants fit rire le petit prince :

– Il faudrait les mettre les uns sur les autres…

Mais il remarqua avec sagesse :

– Les baobabs, avant de grandir, ça commence par être petit.

– C'est exact ! Mais pourquoi veux-tu que tes moutons mangent les petits baobabs ?

Il me répondit : " Ben ! Voyons ! " comme s'il s'agissait là d'une évidence. Et il me fallut un grand effort d'intelligence pour comprendre à moi seul ce problème.

Et en effet, sur la planète du petit prince, il y avait comme sur toutes les planètes, de bonnes herbes et de mauvaises herbes. Par conséquent de bonnes graines de bonnes herbes et de mauvaises graines de mauvaises herbes. Mais les graines sont invisibles. Elles dorment dans le secret de la terre jusqu'à ce qu'il prenne fantaisie à l'une d'elles de se réveiller. Alors elle s'étire, et pousse d'abord timidement vers le soleil une ravissante petite brindille inoffensive. S'il s'agit d'une brindille de radis ou de rosier, on peut la laisser pousser comme elle veut. Mais s'il s'agit d'une mauvaise plante, il faut arracher la plante aussitôt, dès qu'on a su la reconnaître. Or il y avait des graines terribles sur la planète du petit prince… c'étaient les graines de baobabs. Le sol de la planète en était infesté. Or un baobab, si l'on s'y prend trop tard, on ne peut jamais plus s'en débarrasser. Il encombre toute la planète. Il la perfore de ses racines. Et si la planète est trop petite, et si les baobabs sont trop nombreux, ils la font éclater.

– C'est une question de discipline, me disait plus tard le petit prince. Quand on a terminé sa toilette du matin, il faut faire soigneusement la toilette de la planète. Il faut s'astreindre régulièrement à arracher les baobabs dès qu'on les distingue d'avec les rosiers auxquels ils ressemblent beaucoup quand ils sont très jeunes. C'est un travail très ennuyeux, mais très facile.

Et un jour il me conseilla de m'appliquer à réussir un beau dessin, pour bien faire entrer ça dans la tête des enfants de chez moi.

– S'ils voyagent un jour, me disait-il, ça pourra leur servir. Il est quelquefois sans inconvénient de remettre à plus tard son travail. Mais, s'il s'agit des baobabs, c'est toujours une catastrophe. J'ai connu une planète, habitée par un paresseux. Il avait négligé trois arbustes…

Et, sur les indications du petit prince, j'ai dessiné cette planète-là. Je n'aime guère prendre le ton d'un moraliste. Mais le danger des baobabs est si peu connu, et les risques courus par celui qui s'égarerait dans un astéroïde sont si considérables, que, pour une fois, je fais exception à ma réserve. Je dis : " Enfants ! Faites attention aux baobabs ! " C'est pour avertir mes amis d'un danger qu'ils frôlaient depuis longtemps, comme moi-même, sans le connaître, que j'ai tant travaillé ce dessin-là. La leçon que je donnais en valait la peine. Vous vous demanderez peut-être : Pourquoi n'y a-t-il pas, dans ce livre, d'autres dessins aussi grandioses que le dessin des baobabs ? La réponse est bien simple : J'ai essayé mais je n'ai pas pu réussir. Quand j'ai dessiné les baobabs j'ai été animé par le sentiment de l'urgence.

Chapitre 6

Ah ! petit prince, j'ai compris, peu à peu, ainsi, ta petite vie mélancolique. Tu n'avais eu longtemps pour distraction que la douceur des couchers de soleil. J'ai appris ce détail nouveau, le quatrième jour au matin, quand tu m'as dit :

– J'aime bien les couchers de soleil. Allons voir un coucher de soleil…

– Mais il faut attendre…

– Attendre quoi ?

– Attendre que le soleil se couche.

Tu as eu l'air très surpris d'abord, et puis tu as ri de toi-même. Et tu m'as dit :

– Je me crois toujours chez moi !

En effet. Quand il est midi aux États-Unis, le soleil, tout le monde le sait, se couche sur la France. Il suffirait de pouvoir aller en France en une minute pour assister au coucher de soleil. Malheureusement la France est bien trop éloignée. Mais, sur ta si petite planète, il te suffisait de tirer ta chaise de quelques pas. Et tu regardais le crépuscule chaque fois que tu le désirais…

– Un jour, j'ai vu le soleil se coucher quarante-quatre fois !

Et un peu plus tard tu ajoutais :

– Tu sais… quand on est tellement triste on aime les couchers de soleil…

– Le jour des quarante-trois fois tu étais donc tellement triste ?

Mais le petit prince ne répondit pas.

Chapitre 7

Le cinquième jour, toujours grâce au mouton, ce secret de la vie du petit prince me fut révélé. Il me demanda avec brusquerie, sans préambule, comme le fruit d'un problème longtemps médité en silence :

– Un mouton, s'il mange les arbustes, il mange aussi les fleurs ?

– Un mouton mange tout ce qu'il rencontre.

– Même les fleurs qui ont des épines ?

– Oui. Même les fleurs qui ont des épines.

– Alors les épines, à quoi servent-elles ?

Je ne le savais pas. J'étais alors très occupé à essayer de dévisser un boulon trop serré de mon moteur. J'étais très soucieux car ma panne commençait de m'apparaître comme très grave, et l'eau à boire qui s'épuisait me faisait craindre le pire.

– Les épines, à quoi servent-elles ?

Le petit prince ne renonçait jamais à une question, une fois qu'il l'avait posée. J'étais irrité par mon boulon et je répondis n'importe quoi :

– Les épines, ça ne sert à rien, c'est de la pure méchanceté de la part des fleurs !

– Oh !

Mais après un silence il me lança, avec une sorte de rancune :

– Je ne te crois pas ! Les fleurs sont faibles. Elles sont naïves. Elles se rassurent comme elles peuvent. Elles se croient terribles avec leurs épines…

Je ne répondis rien. À cet instant-là je me disais : " Si ce boulon résiste encore, je le ferai sauter d'un coup de marteau. " Le petit prince dérangea de nouveau mes réflexions :

– Et tu crois, toi, que les fleurs…

– Mais non ! Mais non ! Je ne crois rien ! J'ai répondu n'importe quoi. Je m'occupe, moi, de choses sérieuses !

Il me regarda stupéfiait.

– De choses sérieuses !

Il me voyait, mon marteau à la main, et les doigts noirs de cambouis, penché sur un objet qui lui semblait très laid.

– Tu parles comme les grandes personnes !

Ça me fit un peu honte. Mais, impitoyable, il ajouta :

– Tu confonds tout… tu mélanges tout !

Il était vraiment très irrité. Il secouait au vent des cheveux tout dorés :

– Je connais une planète où il y a un Monsieur cramoisi. Il n'a jamais respiré une fleur. Il n'a jamais regardé une étoile. Il n'a jamais aimé personne. Il n'a jamais rien fait d'autre que des additions. Et toute la journée il répète comme toi : " Je suis un homme sérieux ! Je suis un homme sérieux ! " et ça le fait gonfler d'orgueil. Mais ce n'est pas un homme, c'est un champignon !

– Un quoi ?

– Un champignon !

Le petit prince était maintenant tout pâle de colère.

– Il y a des millions d'années que les fleurs fabriquent des épines. Il y a des millions d'années que les moutons mangent quand même les fleurs. Et ce n'est pas sérieux de chercher à comprendre pourquoi elles se donnent tant de mal pour se fabriquer des épines qui ne servent jamais à rien ? Ce n'est pas important la guerre des moutons et des fleurs ? Ce n'est pas plus sérieux et plus important que les additions d'un gros Monsieur rouge ? Et si je connais, moi, une fleur unique au monde, qui n'existe nulle part, sauf dans ma planète, et qu'un petit mouton peut anéantir d'un seul coup, comme ça, un matin, sans se rendre compte de ce qu'il fait, ce n'est pas important ça !

Il rougit, puis reprit :

– Si quelqu'un aime une fleur qui n'existe qu'à un exemplaire dans les millions et les millions d'étoiles, ça suffit pour qu'il soit heureux quand il les regarde. Il se dit : " Ma fleur est là quelque part… " Mais si le mouton mange la fleur, c'est pour lui comme si, brusquement, toutes les étoiles s'éteignaient ! Et ce n'est pas important ça !

Il ne put rien dire de plus. Il éclata brusquement en sanglots. La nuit était tombée. J'avais lâché mes outils. Je me moquais bien de mon marteau, de mon boulon, de la soif et de la mort. Il y avait, sur une étoile, une planète, la mienne, la Terre, un petit prince à consoler ! Je le pris dans les bras. Je le berçai. Je lui disais :

– La fleur que tu aimes n'est pas en danger… Je lui dessinerai une muselière, à ton mouton… Je te dessinerai une armure pour ta fleur… Je…

Je ne savais pas trop quoi dire. Je me sentais très maladroit. Je ne savais comment l'atteindre, où le rejoindre… C'est tellement mystérieux, le pays des larmes.

Chapitre 8

J'appris bien vite à mieux connaître cette fleur. Il y avait toujours eu, sur la planète du petit prince, des fleurs très simples, ornées d'un seul rang de pétales, et qui ne tenaient point de place, et qui ne dérangeaient personne. Elles apparaissaient un matin dans l'herbe, et puis elles s'éteignaient le soir. Mais celle-là avait germé un jour, d'une graine apportée d'on ne sait où, et le petit prince avait surveillé de très près cette brindille qui ne ressemblait pas aux autres brindilles. Ça pouvait être un nouveau genre de baobab. Mais l'arbuste cessa vite de croître, et commença de préparer une fleur. Le petit prince, qui assistait à l'installation d'un bouton énorme, sentait bien qu'il en sortirait une apparition miraculeuse, mais la fleur n'en finissait pas de se préparer à être belle, à l'abri de sa chambre verte. Elle choisissait avec soin ses couleurs. Elle s'habillait lentement, elle ajustait un à un ses pétales. Elle ne voulait pas sortir toute fripée comme les coquelicots. Elle ne voulait apparaître que dans le plein rayonnement de sa beauté. Eh ! oui. Elle était très coquette ! Sa toilette mystérieuse avait donc duré des jours et des jours. Et puis voici qu'un matin, justement à l'heure du lever du soleil, elle s'était montrée.

Et elle, qui avait travaillé avec tant de précision, dit en bâillant :

– Ah ! Je me réveille à peine… Je vous demande pardon… Je suis encore toute décoiffée…

Le petit prince, alors, ne put contenir son admiration :

– Que vous êtes belle !

– N'est-ce pas, répondit doucement la fleur. Et je suis née en même temps que le soleil…

Le petit prince devina bien qu'elle n'était pas trop modeste, mais elle était si émouvante !

– C'est l'heure, je crois, du petit déjeuner, avait-elle bientôt ajouté, auriez-vous la bonté de penser à moi…

Et le petit prince, tout confus, ayant été chercher un arrosoir d'eau fraîche, avait servi la fleur.

Ainsi l'avait-elle bien vite tourmenté par sa vanité un peu ombrageuse. Un jour, par exemple, parlant de ses quatre épines, elle avait dit au petit prince :

– Ils peuvent venir, les tigres, avec leurs griffes !

– Il n'y a pas de tigres sur ma planète, avait objecté le petit prince, et puis les tigres ne mangent pas l'herbe.

– Je ne suis pas une herbe, avait doucement répondu la fleur.

– Pardonnez-moi…

– Je ne crains rien des tigres, mais j'ai horreur des courants d'air. Vous n'auriez pas un paravent ?

" Horreur des courants d'air… ce n'est pas de chance, pour une plante, avait remarqué le petit prince. Cette fleur est bien compliquée… "

– Le soir vous me mettrez sous globe. Il fait très froid chez vous. C'est mal installé. Là d'où je viens…

Mais elle s'était interrompue. Elle était venue sous forme de graine. Elle n'avait rien pu connaître des autres mondes. Humiliée de s'être laissé surprendre à préparer un mensonge aussi naïf, elle avait toussé deux ou trois fois, pour mettre le petit prince dans son tort :

– Ce paravent ?…

– J'allais le chercher mais vous me parliez !

Alors elle avait forcé sa toux pour lui infliger quand même des remords.

Ainsi le petit prince, malgré la bonne volonté de son amour, avait vite douté d'elle. Il avait pris au sérieux des mots sans importance, et était devenu très malheureux.

– J'aurais dû ne pas l'écouter, me confia-t-il un jour, il ne faut jamais écouter les fleurs. Il faut les regarder et les respirer. La mienne embaumait ma planète, mais je ne savais pas m'en réjouir. Cette histoire de griffes, qui m'avait tellement agacé, eût dû m'attendrir…

Il me confia encore :

Je n'ai alors rien su comprendre ! J'aurais dû la juger sur les actes et non sur les mots. Elle m'embaumait et m'éclairait. Je n'aurais jamais dû m'enfuir ! J'aurais dû deviner sa tendresse derrière ses pauvres ruses. Les fleurs sont si contradictoires ! Mais j'étais trop jeune pour savoir l'aimer.

Chapitre 9

Je crois qu'il profita, pour son évasion, d'une migration d'oiseaux sauvages. Au matin du départ il mit sa planète bien en ordre. Il ramona soigneusement ses volcans en activité. Il possédait deux volcans en activité. Et c'était bien commode pour faire chauffer le petit déjeuner du matin. Il possédait aussi un volcan éteint. Mais, comme il disait, " On ne sait jamais ! " Il ramona donc également le volcan éteint. S'ils sont bien ramonés, les volcans brûlent doucement et régulièrement, sans éruptions. Les éruptions volcaniques sont comme des feux de cheminée. Évidemment sur notre terre nous sommes beaucoup trop petits pour ramoner nos volcans. C'est pourquoi ils nous causent des tas d'ennuis.

Le petit prince arracha aussi, avec un peu de mélancolie, les dernières pousses de baobabs. Il croyait ne jamais devoir revenir. Mais tous ces travaux familiers lui parurent, ce matin-là, extrêmement doux. Et, quand il arrosa une dernière fois la fleur, et se prépara à la mettre à l'abri sous son globe, il se découvrit l'envie de pleurer.

– Adieu, dit-il à la fleur.

Mais elle ne lui répondit pas.

– Adieu, répéta-t-il.

La fleur toussa. Mais ce n'était pas à cause de son rhume.

– J'ai été sotte, lui dit-elle enfin. Je te demande pardon. Tâche d'être heureux.

Il fut surpris par l'absence de reproches. Il restait là tout déconcerté, le globe en l'air. Il ne comprenait pas cette douceur calme.

– Mais oui, je t'aime, lui dit la fleur. Tu n'en as rien su, par ma faute. Cela n'a aucune importance. Mais tu as été aussi sot que moi. Tâche d'être heureux… Laisse ce globe tranquille. Je n'en veux plus.

– Mais le vent…

– Je ne suis pas si enrhumée que ça… L'air frais de la nuit me fera du bien. Je suis une fleur.

– Mais les bêtes…

– Il faut bien que je supporte deux ou trois chenilles si je veux connaître les papillons. Il paraît que c'est tellement beau. Sinon qui me rendra visite ? Tu seras loin, toi. Quant aux grosses bêtes, je ne crains rien. J'ai mes griffes.

Et elle montrait naïvement ses quatre épines. Puis elle ajouta :

– Ne traîne pas comme ça, c'est agaçant. Tu as décidé de partir. Va-t'en.

Car elle ne voulait pas qu'il la vît pleurer. C'était une fleur tellement orgueilleuse…

Chapitre 10

Il se trouvait dans la région des astéroïdes 325, 326, 327, 328, 329 et 330. Il commença donc par les visiter pour y chercher une occupation et pour s'instruire.

Le première était habitée par un roi. Le roi siégeait, habillé de pourpre et d'hermine, sur un trône très simple et cependant majestueux.

– Ah ! Voilà un sujet, s'écria le roi quand il aperçut le petit prince. "Et le petit prince se demanda :

– Comment peut-il me reconnaître puisqu'il ne m'a encore jamais vu !"

Il ne savait pas que, pour les rois, le monde est très simplifié. Tous les hommes sont des sujets.

– Approche-toi que je te voie mieux, lui dit le roi qui était tout fier d'être roi pour quelqu'un.

Le petit prince chercha des yeux où s'asseoir, mais la planète était toute encombrée par le magnifique manteau d'hermine. Il resta donc debout, et, comme il était fatigué, il bâilla.

– Il est contraire à l'étiquette de bâiller en présence d'un roi, lui dit le monarque. Je te l'interdis.

– Je ne peux pas m'en empêcher, répondit le petit prince tout confus. J'ai fait un long voyage et je n'ai pas dormi…

– Alors, lui dit le roi, je t'ordonne de bâiller. Je n'ai vu personne bâiller depuis des années. Les bâillements sont pour moi des curiosités. Allons ! bâille encore. C'est un ordre.

– Ça m'intimide… je ne peux plus… fit le petit prince tout rougissant.

– Hum ! Hum ! répondit le roi. Alors je… je t'ordonne tantôt de bâiller et tantôt de…

Il bredouillait un peu et paraissait vexé.

Car le roi tenait essentiellement à ce que son autorité fût respectée. Il ne tolérait pas la désobéissance. C'était un monarque absolu. Mais, comme il était très bon, il donnait des ordres raisonnables.

" Si j'ordonnais, disait-il couramment, si j'ordonnais à un général de se changer en oiseau de mer, et si le général n'obéissait pas, ce ne serait pas la faute du général. Ce serait ma faute. "

– Puis-je m'asseoir ? s'enquit timidement le petit prince.

– Je t'ordonne de t'asseoir, lui répondit le roi, qui ramena majestueusement un pan de son manteau d'hermine.

Mais le petit prince s'étonnait. La planète était minuscule. Sur quoi le roi pouvait-il bien régner ?

– Sire, lui dit-il… je vous demande pardon de vous interroger…

– Je t'ordonne de m'interroger, se hâta de dire le roi.

– Sire… sur quoi régnez-vous ?

– Sur tout, répondit le roi, avec une grande simplicité.

– Sur tout ?

Le roi d'un geste discret désigna sa planète, les autres planètes et les étoiles.

– Sur tout ça ? dit le petit prince.

– Sur tout ça… répondit le roi.

Car non seulement c'était un monarque absolu mais c'était un monarque universel.

– Et les étoiles vous obéissent ?

– Bien sûr, lui dit le roi. Elles obéissent aussitôt. Je ne tolère pas l'indiscipline.

Un tel pouvoir émerveilla le petit prince. S'il l'avait détenu lui-même, il aurait pu assister, non pas à quarante-quatre, mais à soixante-douze, ou même à cent, ou même à deux cents couchers de soleil dans la même journée, sans avoir jamais à tirer sa chaise ! Et comme il se sentait un peu triste à cause du souvenir de sa petite planète abandonnée, il s'enhardit à solliciter une grâce du roi :

– Je voudrais voir un coucher de soleil… Faites-moi plaisir… Ordonnez au soleil de se coucher…

– Si j'ordonnais à un général de voler d'une fleur à l'autre à la façon d'un papillon, ou d'écrire une tragédie, ou de se changer en oiseau de mer, et si le général n'exécutait pas l'ordre reçu, qui, de lui ou de moi, serait dans son tort ?

– Ce serait vous, dit fermement le petit prince.

– Exact. Il faut exiger de chacun ce que chacun peut donner, reprit le roi. L'autorité repose d'abord sur la raison. Si tu ordonnes à ton peuple d'aller se jeter à la mer, il fera la révolution. J'ai le droit d'exiger l'obéissance parce que mes ordres sont raisonnables.

– Alors mon coucher de soleil ? rappela le petit prince qui jamais n'oubliait une question une fois qu'il l'avait posée.

– Ton coucher de soleil, tu l'auras. Je l'exigerai. Mais j'attendrai, dans ma science du gouvernement, que les conditions soient favorables.

– Quand ça sera-t-il ? s'informa le petit prince.

– Hem ! Hem ! lui répondit le roi, qui consulta d'abord un gros calendrier, hem ! hem ! ce sera, vers… vers… ce sera ce soir vers sept heures quarante ! Et tu verras comme je suis bien obéi.

Le petit prince bâilla. Il regrettait son coucher de soleil manqué. Et puis il s'ennuyait déjà un peu :

– Je n'ai plus rien à faire ici, dit-il au roi. Je vais repartir !

– Ne pars pas, répondit le roi qui était si fier d'avoir un sujet. Ne pars pas, je te fais ministre !

– Ministre de quoi ?

– De… de la justice !

– Mais il n'y a personne à juger !

– On ne sait pas, lui dit le roi. Je n'ai pas fait encore le tour de mon royaume. Je suis très vieux, je n'ai pas de place pour un carrosse, et ça me fatigue de marcher.

– Oh ! Mais j'ai déjà vu, dit le petit prince qui se pencha pour jeter encore un coup d'œil sur l'autre côté de la planète. Il n'y a personne là-bas non plus…

– Tu te jugeras donc toi-même, lui répondit le roi. C'est le plus difficile. Il est bien plus difficile de se juger soi-même que de juger autrui. Si tu réussis à bien te juger, c'est que tu es un véritable sage.

– Moi, dit le petit prince, je puis me juger moi-même n'importe où. Je n'ai pas besoin d'habiter ici.

– Hem ! Hem ! dit le roi, je crois bien que sur ma planète il y a quelque part un vieux rat. Je l'entends la nuit. Tu pourras juger ce vieux rat. Tu le condamneras à mort de temps en temps. Ainsi sa vie dépendra de ta justice. Mais tu le gracieras chaque fois pour l'économiser. Il n'y en a qu'un.

– Moi, répondit le petit prince, je n'aime pas condamner à mort, et je crois bien que je m'en vais.

– Non, dit le roi.

Mais le petit prince, ayant achevé ses préparatifs, ne voulut point peiner le vieux monarque :

– Si Votre Majesté désirait être obéie ponctuellement, elle pourrait me donner un ordre raisonnable. Elle pourrait m'ordonner, par exemple, de partir avant une minute. Il me semble que les conditions sont favorables…

Le roi n'ayant rien répondu, le petit prince hésita d'abord, puis, avec un soupir, prit le départ.

– Je te fais mon ambassadeur, se hâta alors de crier le roi.

Il avait un grand air d'autorité.

Les grandes personnes sont bien étranges, se dit le petit prince, en lui-même, durant son voyage.

Chapitre 11

La seconde planète était habitée par un vaniteux :

– Ah ! Ah ! Voilà la visite d'un admirateur ! s'écria de loin le vaniteux dès qu'il aperçut le petit prince.

Car, pour les vaniteux, les autres hommes sont des admirateurs.

– Bonjour, dit le petit prince. Vous avez un drôle de chapeau.

– C'est pour saluer, lui répondit le vaniteux. C'est pour saluer quand on m'acclame. Malheureusement il ne passe jamais personne par ici.

– Ah oui ? dit le petit prince qui ne comprit pas.

– Frappe tes mains l'une contre l'autre, conseilla donc le vaniteux.

Le petit prince frappa ses mains l'une contre l'autre. Le vaniteux salua modestement en soulevant son chapeau.

" Ça c'est plus amusant que la visite au roi ", se dit en lui-même le petit prince. Et il recommença de frapper ses mains l'une contre l'autre. Le vaniteux recommença de saluer en soulevant son chapeau.

Après cinq minutes d'exercice le petit prince se fatigua de la monotonie du jeu :

– Et, pour que le chapeau tombe, demanda-t-il, que faut-il faire ?

Mais le vaniteux ne l'entendit pas. Les vaniteux n'entendent jamais que les louanges.

– Est-ce que tu m'admires vraiment beaucoup ? demanda-t-il au petit prince.

– Qu'est-ce que signifie admirer ?

– Admirer signifie reconnaître que je suis l'homme le plus beau, le mieux habillé, le plus riche et le plus intelligent de la planète.

– Mais tu es seul sur ta planète !

– Fais-moi ce plaisir. Admire-moi quand même !

– Je t'admire, dit le petit prince, en haussant un peu les épaules, mais en quoi cela peut-il bien t'intéresser ?

Et le petit prince s'en fut.

Les grandes personnes sont décidément bien bizarres, se dit-il simplement en lui-même durant son voyage.

Chapitre 12

La planète suivante était habitée par un buveur. Cette visite fut très courte, mais elle plongea le petit prince dans une grande mélancolie :

– Que fais-tu là ? dit-il au buveur, qu'il trouva installé en silence devant une collection de bouteilles vides et une collection de bouteilles pleines.

– Je bois, répondit le buveur, d'un air lugubre.

– Pourquoi bois-tu ? lui demanda le petit prince.

– Pour oublier, répondit le buveur.

– Pour oublier quoi ? s'enquit le petit prince qui déjà le plaignait.

– Pour oublier que j'ai honte, avoua le buveur en baissant la tête.

– Honte de quoi ? s'informa le petit prince qui désirait le secourir.

– Honte de boire ! acheva le buveur qui s'enferma définitivement dans le silence.

Et le petit prince s'en fut, perplexe.

Les grandes personnes sont décidément très très bizarres, se disait-il en lui-même durant le voyage.

Chapitre 13

La quatrième planète était celle du businessman. Cet homme était si occupé qu'il ne leva même pas la tête à l'arrivée du petit prince.

– Bonjour, lui dit celui-ci. Votre cigarette est éteinte.

– Trois et deux font cinq. Cinq et sept douze. Douze et trois quinze. Bonjour. Quinze et sept vingt-deux. Vingt-deux et six vingt-huit. Pas le temps de la rallumer. Vingt-six et cinq trente et un. Ouf ! Ça fait donc cinq cent un millions six cent vingt-deux mille sept cent trente et un.

– Cinq cents millions de quoi ?

– Hein ? Tu es toujours là ? Cinq cent un millions de… je ne sais plus… J'ai tellement de travail ! Je suis sérieux, moi, je ne m'amuse pas à des balivernes ! Deux et cinq sept…

– Cinq cent un millions de quoi, répéta le petit prince qui jamais de sa vie, n'avait renoncé à une question, une fois qu'il l'avait posée.

Le businessman leva la tête :

– Depuis cinquante-quatre ans que j'habite cette planète-ci, je n'ai été dérangé que trois fois. La première fois ç'a été, il y a vingt-deux ans, par un hanneton qui était tombé Dieu sait d'où. Il répandait un bruit épouvantable, et j'ai fait quatre erreurs dans une addition. La seconde fois ç'a été, il y a onze ans, par une crise de rhumatisme. Je manque d'exercice. Je n'ai pas le temps de flâner. Je suis sérieux, moi. La troisième fois… la voici ! Je disais donc cinq cent un millions…

– Millions de quoi ?

Le businessman comprit qu'il n'était point d'espoir de paix :

– Millions de ces petites choses que l'on voit quelquefois dans le ciel.

– Des mouches ?

– Mais non, des petites choses qui brillent.

– Des abeilles ?

– Mais non. Des petites choses dorées qui font rêvasser les fainéants. Mais je suis sérieux, moi ! Je n'ai pas le temps de rêvasser.

– Ah ! des étoiles ?

– C'est bien ça. Des étoiles.

– Et que fais-tu de cinq cents millions d'étoiles ?

– Cinq cent un millions six cent vingt-deux mille sept cent trente et un. Je suis sérieux, moi, je suis précis.

– Et que fais-tu de ces étoiles ?

– Ce que j'en fais ?

– Oui.

– Rien. Je les possède.

– Tu possèdes les étoiles ?

– Oui.

– Mais j'ai déjà vu un roi qui…

– Les rois ne possèdent pas. Ils " règnent " sur. C'est très différent.

– Et à quoi cela te sert-il de posséder les étoiles ?

– Ça me sert à être riche.

– Et à quoi cela te sert-il d'être riche ?

– À acheter d'autres étoiles, si quelqu'un en trouve.

Celui-là, se dit en lui-même le petit prince, il raisonne un peu comme mon ivrogne.

Cependant il posa encore des questions :

– Comment peut-on posséder les étoiles ?

– À qui sont-elles ? riposta, grincheux, le businessman.

– Je ne sais pas. À personne.

– Alors elles sont à moi, car j'y ai pensé le premier.

– Ça suffit ?

– Bien sûr. Quand tu trouves un diamant qui n'est à personne, il est à toi. Quand tu trouves une île qui n'est à personne, elle est à toi. Quand tu as une idée le premier, tu la fais breveter : elle est à toi. Et moi je possède les étoiles, puisque jamais personne avant moi n'a songé à les posséder.

– Ça c'est vrai, dit le petit prince. Et qu'en fais-tu ?

– Je les gère. Je les compte et je les recompte, dit le businessman. C'est difficile. Mais je suis un homme sérieux !

Le petit prince n'était pas satisfait encore.

– Moi, si je possède un foulard, je puis le mettre autour de mon cou et l'emporter. Moi, si je possède une fleur, je puis cueillir ma fleur et l'emporter. Mais tu ne peux pas cueillir les étoiles !

– Non, mais je puis les placer en banque.

– Qu'est-ce que ça veut dire ?

– Ça veut dire que j'écris sur un petit papier le nombre de mes étoiles. Et puis j'enferme à clef ce papier-là dans un tiroir.

– Et c'est tout ?

– Ça suffit !

C'est amusant, pensa le petit prince. C'est assez poétique. Mais ce n'est pas très sérieux.

Le petit prince avait sur les choses sérieuses des idées très différentes des idées des grandes personnes.

– Moi, dit-il encore, je possède une fleur que j'arrose tous les jours. Je possède trois volcans que je ramone toutes les semaines. Car je ramone aussi celui qui est éteint. On ne sait jamais. C'est utile à mes volcans, et c'est utile à ma fleur, que je les possède. Mais tu n'es pas utile aux étoiles…

Le businessman ouvrit la bouche mais ne trouva rien à répondre, et le petit prince s'en fut.

Les grandes personnes sont décidément tout à fait extraordinaires, se disait-il simplement en lui-même durant le voyage.

Chapitre 14

La cinquième planète était très curieuse. C'était la plus petite de toutes. Il y avait là juste assez de place pour loger un réverbère et un allumeur de réverbères. Le petit prince ne parvenait pas à s'expliquer à quoi pouvaient servir, quelque part dans le ciel, sur une planète sans maison, ni population, un réverbère et un allumeur de réverbères. Cependant il se dit en lui-même :

– Peut-être bien que cet homme est absurde. Cependant il est moins absurde que le roi, que le vaniteux, que le businessman et que le buveur. Au moins son travail a-t-il un sens. Quand il allume son réverbère, c'est comme s'il faisait naître une étoile de plus, ou une fleur. Quand il éteint son réverbère ça endort la fleur ou l'étoile. C'est une occupation très jolie. C'est véritablement utile puisque c'est joli.

Lorsqu'il aborda la planète il salua respectueusement l'allumeur :

– Bonjour. Pourquoi viens-tu d'éteindre ton réverbère ?

– C'est la consigne, répondit l'allumeur. Bonjour.

– Qu'est-ce que la consigne ?

– C'est d'éteindre mon réverbère. Bonsoir.

Et il le ralluma.

– Mais pourquoi viens-tu de le rallumer ?

– C'est la consigne, répondit l'allumeur.

– Je ne comprends pas, dit le petit prince.

– Il n'y a rien à comprendre, dit l'allumeur. La consigne c'est la consigne. Bonjour.

Et il éteignit son réverbère.

Puis il s'épongea le front avec un mouchoir à carreaux rouges.

– Je fais là un métier terrible. C'était raisonnable autrefois. J'éteignais le matin et j'allumais le soir. J'avais le reste du jour pour me reposer, et le reste de la nuit pour dormir…

– Et, depuis cette époque, la consigne a changé ?

– La consigne n'a pas changé, dit l'allumeur. C'est bien là le drame ! La planète d'année en année a tourné de plus en plus vite, et la consigne n'a pas changé !

– Alors ? dit le petit prince.

– Alors maintenant qu'elle fait un tour par minute, je n'ai plus une seconde de repos. J'allume et j'éteins une fois par minute !

– Ça c'est drôle ! Les jours chez toi durent une minute !

– Ce n'est pas drôle du tout, dit l'allumeur. Ça fait déjà un mois que nous parlons ensemble.

– Un mois ?

– Oui. Trente minutes. Trente jours ! Bonsoir.

Et il ralluma son réverbère.

Le petit prince le regarda et il aima cet allumeur qui était tellement fidèle à la consigne. Il se souvint des couchers de soleil que lui-même allait autrefois chercher, en tirant sa chaise. Il voulut aider son ami :

– Tu sais… je connais un moyen de te reposer quand tu voudras…

– Je veux toujours, dit l'allumeur.

Car on peut être, à la fois, fidèle et paresseux.

Le petit prince poursuivit :

– Ta planète est tellement petite que tu en fais le tour en trois enjambées. Tu n'as qu'à marcher assez lentement pour rester toujours au soleil. Quand tu voudras te reposer tu marcheras… et le jour durera aussi longtemps que tu voudras.

– Ça ne m'avance pas à grand'chose, dit l'allumeur. Ce que j'aime dans la vie, c'est dormir.

– Ce n'est pas de chance, dit le petit prince.

– Ce n'est pas de chance, dit l'allumeur. Bonjour.

Et il éteignit son réverbère.

" Celui-là, se dit le petit prince, tandis qu'il poursuivait plus loin son voyage, celui-là serait méprisé par tous les autres, par le roi, par le vaniteux, par le buveur, par le businessman. Cependant c'est le seul qui ne me paraisse pas ridicule. C'est peut-être parce qu'il s'occupe d'autre chose que de soi-même. "

Il eut un soupir de regret et se dit encore :

" Celui-là est le seul dont j'eusse pu faire mon ami. Mais sa planète est vraiment trop petite. Il n'y a pas de place pour deux… "

Ce que le petit prince n'osait pas s'avouer, c'est qu'il regrettait cette planète bénie à cause, surtout, des mille quatre cent quarante couchers de soleil par vingt-quatre heures !

Chapitre 15

La sixième planète était une planète dix fois plus vaste. Elle était habitée par un vieux Monsieur qui écrivait d'énormes livres.

– Tiens ! voilà un explorateur ! s'écria-t-il, quand il aperçut le petit prince.

Le petit prince s'assit sur la table et souffla un peu. Il avait déjà tant voyagé !

– D'où viens-tu ? lui dit le vieux Monsieur.

– Quel est ce gros livre ? dit le petit prince. Que faites-vous ici ?

– Je suis géographe, dit le vieux Monsieur.

– Qu'est-ce qu'un géographe ?

– C'est un savant qui connaît où se trouvent les mers, les fleuves, les villes, les montagnes et les déserts.

– Ça c'est bien intéressant, dit le petit prince. Ça c'est enfin un véritable métier ! Et il jeta un coup d'œil autour de lui sur la planète du géographe. Il n'avait jamais vu encore une planète aussi majestueuse.

– Elle est bien belle, votre planète. Est-ce qu'il y a des océans ?

– Je ne puis pas le savoir, dit le géographe.

– Ah ! (Le petit prince était déçu.) Et des montagnes ?

– Je ne puis pas le savoir, dit le géographe.

– Et des villes et des fleuves et des déserts ?

– Je ne puis pas le savoir non plus, dit le géographe.

– Mais vous êtes géographe !

– C'est exact, dit le géographe, mais je ne suis pas explorateur. Je manque absolument d'explorateurs. Ce n'est pas le géographe qui va faire le compte des villes, des fleuves, des montagnes, des mers, des océans et des déserts. Le géographe est trop important pour flâner. Il ne quitte pas son bureau. Mais il y reçoit les explorateurs. Il les interroge, et il prend en note leurs souvenirs. Et si les souvenirs de l'un d'entre eux lui paraissent intéressants, le géographe fait faire une enquête sur la moralité de l'explorateur.

– Pourquoi ça ?

– Parce qu'un explorateur qui mentirait entraînerait des catastrophes dans les livres de géographie. Et aussi un explorateur qui boirait trop.

– Pourquoi ça ? fit le petit prince.

– Parce que les ivrognes voient double. Alors le géographe noterait deux montagnes, là où il n'y en a qu'une seule.

– Je connais quelqu'un, dit le petit prince, qui serait mauvais explorateur.

– C'est possible. Donc, quand la moralité de l'explorateur paraît bonne, on fait une enquête sur sa découverte.

– On va voir ?

– Non. C'est trop compliqué. Mais on exige de l'explorateur qu'il fournisse des preuves. S'il s'agit par exemple de la découverte d'une grosse montagne, on exige qu'il en rapporte de grosses pierres.

Le géographe soudain s'émut.

– Mais toi, tu viens de loin ! Tu es explorateur ! Tu vas me décrire ta planète !

Et le géographe, ayant ouvert son registre, tailla son crayon. On note d'abord au crayon les récits des explorateurs. On attend, pour noter à l'encre, que l'explorateur ait fourni des preuves.

– Alors ? interrogea le géographe.

– Oh ! chez moi, dit le petit prince, ce n'est pas très intéressant, c'est tout petit. J'ai trois volcans. Deux volcans en activité, et un volcan éteint. Mais on ne sait jamais.

– On ne sait jamais, dit le géographe.

– J'ai aussi une fleur.

– Nous ne notons pas les fleurs, dit le géographe.

– Pourquoi ça ! c'est le plus joli !

– Parce que les fleurs sont éphémères.

– Qu'est ce que signifie : " éphémère " ?

– Les géographies, dit le géographe, sont les livres les plus précieux de tous les livres. Elles ne se démodent jamais. Il est très rare qu'une montagne change de place. Il est très rare qu'un océan se vide de son eau. Nous écrivons des choses éternelles.

– Mais les volcans éteints peuvent se réveiller, interrompit le petit prince. Qu'est-ce que signifie " éphémère " ?

– Que les volcans soient éteints ou soient éveillés, ça revient au même pour nous autres, dit le géographe. Ce qui compte pour nous, c'est la montagne. Elle ne change pas.

– Mais qu'est-ce que signifie " éphémère " ? répéta le petit prince qui, de sa vie, n'avait renoncé à une question, une fois qu'il l'avait posée.

– Ça signifie " qui est menacé de disparition prochaine ".

– Ma fleur est menacée de disparition prochaine ?

– Bien sûr.

Ma fleur est éphémère, se dit le petit prince, et elle n'a que quatre épines pour se défendre contre le monde ! Et je l'ai laissée toute seule chez moi !

Ce fut là son premier mouvement de regret. Mais il reprit courage :

– Que me conseillez-vous d'aller visiter ? demanda-t-il.

– La planète Terre, lui répondit le géographe. Elle a une bonne réputation…

Et le petit prince s'en fut, songeant à sa fleur.

Chapitre 16

La Terre n'est pas une planète quelconque ! On y compte cent onze rois (en n'oubliant pas, bien sûr, les rois nègres), sept mille géographes, neuf cent mille businessmen, sept millions et demi d'ivrognes, trois cent onze millions de vaniteux, c'est-à-dire environ deux milliards de grandes personnes.

Pour vous donner une idée des dimensions de la Terre je vous dirai qu'avant l'invention de l'électricité on y devait entretenir, sur l'ensemble des six continents, une véritable armée de quatre cent soixante-deux mille cinq cent onze allumeurs de réverbères.

Vu d'un peu loin ça faisait un effet splendide. Les mouvements de cette armée étaient réglés comme ceux d'un ballet d'opéra. D'abord venait le tour des allumeurs de réverbères de Nouvelle-Zélande et d'Australie. Puis ceux-ci, ayant allumé leurs lampions, s'en allaient dormir. Alors entraient à leur tour dans la danse les allumeurs de réverbères de Chine et de Sibérie. Puis eux aussi s'escamotaient dans les coulisses. Alors venait le tour des allumeurs de réverbères de Russie et des Indes. Puis de ceux d'Afrique et d'Europe. Puis de ceux d'Amérique du Sud. Puis de ceux d'Amérique du Nord. Et jamais ils ne se trompaient dans leur ordre d'entrée en scène. C'était grandiose.

Seuls, l'allumeur de l'unique réverbère du pôle Nord, et son confrère de l'unique réverbère du pôle Sud, menaient des vies d'oisiveté et de nonchalance : ils travaillaient deux fois par an.

Chapitre 17

Quand on veut faire de l'esprit, il arrive que l'on mente un peu. Je n'ai pas été très honnête en vous parlant des allumeurs de réverbères. Je risque de donner une fausse idée de notre planète à ceux qui ne la connaissent pas. Les hommes occupent très peu de place sur la terre. Si les deux milliards d'habitants qui peuplent la terre se tenaient debout et un peu serrés, comme pour un meeting, ils logeraient aisément sur une place publique de vingt milles de long sur vingt milles de large. On pourrait entasser l'humanité sur le moindre petit îlot du Pacifique.

Les grandes personnes, bien sûr, ne vous croiront pas. Elles s'imaginent tenir beaucoup de place. Elles se voient importantes comme des baobabs. Vous leur conseillerez donc de faire le calcul.

Elles adorent les chiffres : ça leur plaira. Mais ne perdez pas votre temps à ce *pensum*. C'est inutile. Vous avez confiance en moi.

Le petit prince, une fois sur terre, fut donc bien surpris de ne voir personne. Il avait déjà peur de s'être trompé de planète, quand un anneau couleur de lune remua dans le sable.

— Bonne nuit, fit le petit prince à tout hasard.

— Bonne nuit, fit le serpent.

— Sur quelle planète suis-je tombé ? demanda le petit prince.

— Sur la Terre, en Afrique, répondit le serpent.

— Ah !... Il n'y a donc personne sur la Terre ?

— Ici c'est le désert. Il n'y a personne dans les déserts. La Terre est grande, dit le serpent.

Le petit prince s'assit sur une pierre et leva les yeux vers le ciel :

— Je me demande, dit-il, si les étoiles sont éclairées afin que chacun puisse un jour retrouver la sienne. Regarde ma planète. Elle est juste au-dessus de nous... Mais comme elle est loin !

— Elle est belle, dit le serpent. Que viens-tu faire ici ?

— J'ai des difficultés avec une fleur, dit le petit prince.

— Ah ! fit le serpent.

Et ils se turent.

— Où sont les hommes ? reprit enfin le petit prince. On est un peu seul dans le désert...

— On est seul aussi chez les hommes, dit le serpent.

Le petit prince le regarda longtemps :

— Tu es une drôle de bête, lui dit-il enfin, mince comme un doigt...

— Mais je suis plus puissant que le doigt d'un roi, dit le serpent.

Le petit prince eut un sourire :

— Tu n'es pas bien puissant... tu n'as même pas de pattes... tu ne peux même pas voyager...

— Je puis t'emporter plus loin qu'un navire, dit le serpent.

Il s'enroula autour de la cheville du petit prince, comme un bracelet d'or :

— Celui que je touche, je le rends à la terre dont il est sorti, dit-il encore. Mais tu es pur et tu viens d'une étoile...

Le petit prince ne répondit rien.

— Tu me fais pitié, toi si faible, sur cette Terre de granit. Je puis t'aider un jour si tu regrettes trop ta planète. Je puis...

– Oh ! J'ai très bien compris, fit le petit prince, mais pourquoi parles-tu toujours par énigmes ?

– Je les résous toutes, dit le serpent.

Et ils se turent.

Chapitre 18

Le petit prince traversa le désert et ne rencontra qu'une fleur. Une fleur à trois pétales, une fleur de rien du tout…

– Bonjour, dit le petit prince.

– Bonjour, dit la fleur.

– Où sont les hommes ? demanda poliment le petit prince.

La fleur, un jour, avait vu passer une caravane :

– Les hommes ? Il en existe, je crois, six ou sept. Je les ai aperçus il y a des années. Mais on ne sait jamais où les trouver. Le vent les promène. Ils manquent de racines, ça les gêne beaucoup.

– Adieu, fit le petit prince.

– Adieu, dit la fleur.

Chapitre 19

Le petit prince fit l'ascension d'une haute montagne. Les seules montagnes qu'il eût jamais connues étaient les trois volcans qui lui arrivaient au genou. Et il se servait du volcan éteint comme d'un tabouret. " D'une montagne haute comme celle-ci, se dit-il donc, j'apercevrai d'un coup toute la planète et tous les hommes… " Mais il n'aperçut rien que des aiguilles de roc bien aiguisées.

– Bonjour, dit-il à tout hasard.

– Bonjour… Bonjour… Bonjour… répondit l'écho.

– Qui êtes-vous ? dit le petit prince.

– Qui êtes-vous… qui êtes-vous… qui êtes-vous… répondit l'écho.

– Soyez mes amis, je suis seul, dit-il.

– Je suis seul… je suis seul… je suis seul… répondit l'écho.

" Quelle drôle de planète ! pensa-t-il alors. Elle est toute sèche, et toute pointue et toute salée. Et les hommes manquent d'imagination. Ils répètent ce qu'on leur dit… Chez moi j'avais une fleur : elle parlait toujours la première… "

Chapitre 20

Mais il arriva que le petit prince, ayant longtemps marché à travers les sables, les rocs et les neiges, découvrit enfin une route. Et les routes vont toutes chez les hommes.

– Bonjour, dit-il.

C'était un jardin fleuri de roses.

– Bonjour, dirent les roses.

Le petit prince les regarda. Elles ressemblaient toutes à sa fleur.

– Qui êtes-vous ? leur demanda-t-il, stupéfait.

– Nous sommes des roses, dirent les roses.

– Ah ! fit le petit prince…

Et il se sentit très malheureux. Sa fleur lui avait raconté qu'elle était seule de son espèce dans l'univers. Et voici qu'il en était cinq mille, toutes semblables, dans un seul jardin !

" Elle serait bien vexée, se dit-il, si elle voyait ça… elle tousserait énormément et ferait semblant de mourir pour échapper au ridicule. Et je serais bien obligé de faire semblant de la soigner, car, sinon, pour m'humilier moi aussi, elle se laisserait vraiment mourir… "

Puis il se dit encore : " Je me croyais riche d'une fleur unique, et je ne possède qu'une rose ordinaire. Ça et mes trois volcans qui m'arrivent au genou, et dont l'un, peut-être, est éteint pour toujours, ça ne fait pas de moi un bien grand prince… " Et, couché dans l'herbe, il pleura.

Chapitre 21

C'est alors qu'apparut le renard :

— Bonjour, dit le renard.

— Bonjour, répondit poliment le petit prince, qui se retourna mais ne vit rien.

— Je suis là, dit la voix, sous le pommier.

— Qui es-tu ? dit le petit prince. Tu es bien joli…

— Je suis un renard, dit le renard.

— Viens jouer avec moi, lui proposa le petit prince. Je suis tellement triste…

— Je ne puis pas jouer avec toi, dit le renard. Je ne suis pas apprivoisé.

— Ah ! pardon, fit le petit prince.

Mais, après réflexion, il ajouta :

— Qu'est-ce que signifie " apprivoiser " ?

— Tu n'es pas d'ici, dit le renard, que cherches-tu ?

— Je cherche les hommes, dit le petit prince. Qu'est-ce que signifie " apprivoiser " ?

— Les hommes, dit le renard, ils ont des fusils et ils chassent. C'est bien gênant ! Ils élèvent aussi des poules. C'est leur seul intérêt. Tu cherches des poules ?

— Non, dit le petit prince. Je cherche des amis. Qu'est-ce que signifie " apprivoiser " ?

— C'est une chose trop oubliée, dit le renard. Ça signifie " créer des liens… "

— Créer des liens ?

— Bien sûr, dit le renard. Tu n'es encore pour moi qu'un petit garçon tout semblable à cent mille petits garçons. Et je n'ai pas besoin de toi. Et tu n'as pas besoin de moi non plus. Je ne suis pour toi qu'un renard semblable à cent mille renards. Mais, si tu m'apprivoises, nous aurons besoin l'un de l'autre. Tu seras pour moi unique au monde. Je serai pour toi unique au monde…

– Je commence à comprendre, dit le petit prince. Il y a une fleur…
je crois qu'elle m'a apprivoisé…

– C'est possible, dit le renard. On voit sur la Terre toutes sortes de
choses…

– Oh ! ce n'est pas sur la Terre, dit le petit prince.

Le renard parut très intrigué :

– Sur une autre planète ?

– Oui.

– Il y a des chasseurs, sur cette planète-là ?

– Non.

– Ça, c'est intéressant ! Et des poules ?

– Non.

– Rien n'est parfait, soupira le renard.

Mais le renard revint à son idée :

– Ma vie est monotone. Je chasse les poules, les hommes me
chassent. Toutes les poules se ressemblent, et tous les hommes se
ressemblent. Je m'ennuie donc un peu. Mais, si tu m'apprivoises, ma
vie sera comme ensoleillée. Je connaîtrai un bruit de pas qui sera
différent de tous les autres. Les autres pas me font rentrer sous terre.
Le tien m'appellera hors du terrier, comme une musique. Et puis
regarde ! Tu vois, là-bas, les champs de blé ? Je ne mange pas de pain.
Le blé pour moi est inutile. Les champs de blé ne me rappellent rien. Et
ça, c'est triste ! Mais tu as des cheveux couleur d'or. Alors ce sera
merveilleux quand tu m'auras apprivoisé ! Le blé, qui est doré, me fera
souvenir de toi. Et j'aimerai le bruit du vent dans le blé…

Le renard se tut et regarda longtemps le petit prince :

– S'il te plaît… apprivoise-moi ! dit-il.

– Je veux bien, répondit le petit prince, mais je n'ai pas beaucoup
de temps. J'ai des amis à découvrir et beaucoup de choses à connaître.

– On ne connaît que les choses que l'on apprivoise, dit le renard.
Les hommes n'ont plus le temps de rien connaître. Ils achètent des
choses toutes faites chez les marchands. Mais comme il n'existe point
de marchands d'amis, les hommes n'ont plus d'amis. Si tu veux un ami,
apprivoise-moi !

– Que faut-il faire ? dit le petit prince.

– Il faut être très patient, répondit le renard. Tu t'assoiras d'abord
un peu loin de moi, comme ça, dans l'herbe. Je te regarderai du coin de

l'œil et tu ne diras rien. Le langage est source de malentendus. Mais, chaque jour, tu pourras t'asseoir un peu plus près…

Le lendemain revint le petit prince.

– Il eût mieux valu revenir à la même heure, dit le renard. Si tu viens, par exemple, à quatre heures de l'après-midi, dès trois heures je commencerai d'être heureux. Plus l'heure avancera, plus je me sentirai heureux. À quatre heures, déjà, je m'agiterai et m'inquiéterai ; je découvrirai le prix du bonheur ! Mais si tu viens n'importe quand, je ne saurai jamais à quelle heure m'habiller le cœur… Il faut des rites.

– Qu'est-ce qu'un rite ? dit le petit prince.

– C'est aussi quelque chose de trop oublié, dit le renard. C'est ce qui fait qu'un jour est différent des autres jours, une heure, des autres heures. Il y a un rite, par exemple, chez mes chasseurs. Ils dansent le jeudi avec les filles du village. Alors le jeudi est jour merveilleux ! Je vais me promener jusqu'à la vigne. Si les chasseurs dansaient n'importe quand, les jours se ressembleraient tous, et je n'aurais point de vacances.

Ainsi le petit prince apprivoisa le renard. Et quand l'heure du départ fut proche :

– Ah ! dit le renard… Je pleurerai.

– C'est ta faute, dit le petit prince, je ne te souhaitais point de mal, mais tu as voulu que je t'apprivoise…

– Bien sûr, dit le renard.

– Mais tu vas pleurer ! dit le petit prince.

– Bien sûr, dit le renard.

– Alors tu n'y gagnes rien !

– J'y gagne, dit le renard, à cause de la couleur du blé.

Puis il ajouta :

– Va revoir les roses. Tu comprendras que la tienne est unique au monde. Tu reviendras me dire adieu, et je te ferai cadeau d'un secret.

Le petit prince s'en fut revoir les roses :

– Vous n'êtes pas du tout semblables à ma rose, vous n'êtes rien encore, leur dit-il. Personne ne vous a apprivoisées et vous n'avez apprivoisé personne. Vous êtes comme était mon renard. Ce n'était qu'un renard semblable à cent mille autres. Mais j'en ai fait mon ami, et il est maintenant unique au monde.

Et les roses étaient bien gênées.

– Vous êtes belles, mais vous êtes vides, leur dit-il encore. On ne peut pas mourir pour vous. Bien sûr, ma rose à moi, un passant ordinaire croirait qu'elle vous ressemble. Mais à elle seule elle est plus importante que vous toutes, puisque c'est elle que j'ai arrosée. Puisque c'est elle que j'ai mise sous globe. Puisque c'est elle que j'ai abritée par le paravent. Puisque c'est elle dont j'ai tué les chenilles (sauf les deux ou trois pour les papillons). Puisque c'est elle que j'ai écoutée se plaindre, ou se vanter, ou même quelquefois se taire. Puisque c'est ma rose.

Et il revint vers le renard :

– Adieu, dit-il…

– Adieu, dit le renard. Voici mon secret. Il est très simple : on ne voit bien qu'avec le cœur. L'essentiel est invisible pour les yeux.

– L'essentiel est invisible pour les yeux, répéta le petit prince, afin de se souvenir.

– C'est le temps que tu as perdu pour ta rose qui fait ta rose si importante.

– C'est le temps que j'ai perdu pour ma rose… fit le petit prince, afin de se souvenir.

– Les hommes ont oublié cette vérité, dit le renard. Mais tu ne dois pas l'oublier. Tu deviens responsable pour toujours de ce que tu as apprivoisé. Tu es responsable de ta rose…

– Je suis responsable de ma rose… répéta le petit prince, afin de se souvenir.

Chapitre 22

– Bonjour, dit le petit prince.

– Bonjour, dit l'aiguilleur.

– Que fais-tu ici ? dit le petit prince.

– Je trie les voyageurs, par paquets de mille, dit l'aiguilleur. J'expédie les trains qui les emportent, tantôt vers la droite, tantôt vers la gauche.

Et un rapide illuminé, grondant comme le tonnerre, fit trembler la cabine d'aiguillage.

– Ils sont bien pressés, dit le petit prince. Que cherchent-ils ?

– L'homme de la locomotive l'ignore lui-même, dit l'aiguilleur.

Et gronda, en sens inverse, un second rapide illuminé.

– Ils reviennent déjà ? demanda le petit prince…

– Ce ne sont pas les mêmes, dit l'aiguilleur. C'est un échange.

– Ils n'étaient pas contents, là où ils étaient ?

– On n'est jamais content là où l'on est, dit l'aiguilleur.

Et gronda le tonnerre d'un troisième rapide illuminé.

– Ils poursuivent les premiers voyageurs ? demanda le petit prince.

– Ils ne poursuivent rien du tout, dit l'aiguilleur. Ils dorment là-dedans, ou bien ils bâillent. Les enfants seuls écrasent leur nez contre les vitres.

– Les enfants seuls savent ce qu'ils cherchent, fit le petit prince. Ils perdent du temps pour une poupée de chiffons, et elle devient très importante, et si on la leur enlève, ils pleurent…

– Ils ont de la chance, dit l'aiguilleur.

Chapitre 23

– Bonjour, dit le petit prince.

– Bonjour, dit le marchand.

C'était un marchand de pilules perfectionnées qui apaisent la soif. On en avale une par semaine et l'on n'éprouve plus le besoin de boire.

– Pourquoi vends-tu ça ? dit le petit prince.

– C'est une grosse économie de temps, dit le marchand. Les experts ont fait des calculs. On épargne cinquante-trois minutes par semaine.

– Et que fait-on des cinquante-trois minutes ?

– On en fait ce que l'on veut…

" Moi, se dit le petit prince, si j'avais cinquante-trois minutes à dépenser, je marcherais tout doucement vers une fontaine… "

Chapitre 24

Nous en étions au huitième jour de ma panne dans le désert, et j'avais écouté l'histoire du marchand en buvant la dernière goutte de ma provision d'eau :

– Ah ! dis-je au petit prince, ils sont bien jolis, tes souvenirs, mais je n'ai pas encore réparé mon avion, je n'ai plus rien à boire, et je serais heureux, moi aussi, si je pouvais marcher tout doucement vers une fontaine !

– Mon ami le renard, me dit-il…

– Mon petit bonhomme, il ne s'agit plus du renard !

– Pourquoi ?

– Parce qu'on va mourir de soif…

Il ne comprit pas mon raisonnement, il me répondit :

– C'est bien d'avoir eu un ami, même si l'on va mourir. Moi, je suis bien content d'avoir eu un ami renard…

Il ne mesure pas le danger, me dis-je. Il n'a jamais ni faim ni soif. Un peu de soleil lui suffit…

Mais il me regarda et répondit à ma pensée :

– J'ai soif aussi… cherchons un puits…

J'eus un geste de lassitude : il est absurde de chercher un puits, au hasard, dans l'immensité du désert. Cependant nous nous mîmes en marche.

Quand nous eûmes marché des heures, en silence, la nuit tomba, et les étoiles commencèrent de s'éclairer. Je les apercevais comme en rêve, ayant un peu de fièvre, à cause de ma soif. Les mots du petit prince dansaient dans ma mémoire :

– Tu as donc soif, toi aussi ? lui demandai-je.

Mais il ne répondit pas à ma question. Il me dit simplement :

– L'eau peut aussi être bonne pour le cœur…

Je ne compris pas sa réponse mais je me tus… Je savais bien qu'il ne fallait pas l'interroger.

Il était fatigué. Il s'assit. Je m'assis auprès de lui. Et, après un silence, il dit encore :

– Les étoiles sont belles, à cause d'une fleur que l'on ne voit pas…

Je répondis " bien sûr " et je regardai, sans parler, les plis du sable sous la lune.

– Le désert est beau, ajouta-t-il…

Et c'était vrai. J'ai toujours aimé le désert. On s'assoit sur une dune de sable. On ne voit rien. On n'entend rien. Et cependant quelque chose rayonne en silence…

– Ce qui embellit le désert, dit le petit prince, c'est qu'il cache un puits quelque part…

Je fus surpris de comprendre soudain ce mystérieux rayonnement du sable. Lorsque j'étais petit garçon j'habitais une maison ancienne, et la légende racontait qu'un trésor y était enfoui. Bien sûr, jamais personne n'a su le découvrir, ni peut-être même ne l'a cherché. Mais il enchantait toute cette maison. Ma maison cachait un secret au fond de son cœur…

– Oui, dis-je au petit prince, qu'il s'agisse de la maison, des étoiles ou du désert, ce qui fait leur beauté est invisible !

– Je suis content, dit-il, que tu sois d'accord avec mon renard.

Comme le petit prince s'endormait, je le pris dans mes bras, et me remis en route. J'étais ému. Il me semblait porter un trésor fragile. Il me semblait même qu'il n'y eût rien de plus fragile sur la Terre. Je regardais, à la lumière de la lune, ce front pâle, ces yeux clos, ces mèches de cheveux qui tremblaient au vent, et je me disais : ce que je vois là n'est qu'une écorce. Le plus important est invisible…

Comme ses lèvres entr'ouvertes ébauchaient un demi-sourire je me dis encore : " Ce qui m'émeut si fort de ce petit prince endormi, c'est sa fidélité pour une fleur, c'est l'image d'une rose qui rayonne en lui comme la flamme d'une lampe, même quand il dort… " Et je le devinai plus fragile encore. Il faut bien protéger les lampes : un coup de vent peut les éteindre…

Et, marchant ainsi, je découvris le puits au lever du jour.

Chapitre 25

– Les hommes, dit le petit prince, ils s'enfournent dans les rapides, mais ils ne savent plus ce qu'ils cherchent. Alors ils s'agitent et tournent en rond…

Et il ajouta :

– Ce n'est pas la peine…

Le puits que nous avions atteint ne ressemblait pas aux puits sahariens. Les puits sahariens sont de simples trous creusés dans le sable. Celui-là ressemblait à un puits de village. Mais il n'y avait là aucun village, et je croyais rêver.

– C'est étrange, dis-je au petit prince, tout est prêt : la poulie, le seau et la corde…

Il rit, toucha la corde, fit jouer la poulie. Et la poulie gémit comme gémit une vieille girouette quand le vent a longtemps dormi.

– Tu entends, dit le petit prince, nous réveillons ce puits et il chante…

Je ne voulais pas qu'il fît un effort :

– Laisse-moi faire, lui dis-je, c'est trop lourd pour toi.

Lentement je hissai le seau jusqu'à la margelle. Je l'y installai bien d'aplomb. Dans mes oreilles durait le chant de la poulie et, dans l'eau qui tremblait encore, je voyais trembler le soleil.

– J'ai soif de cette eau-là, dit le petit prince, donne-moi à boire…

Et je compris ce qu'il avait cherché !

Je soulevai le seau jusqu'à ses lèvres. Il but, les yeux fermés. C'était doux comme une fête. Cette eau était bien autre chose qu'un aliment. Elle était née de la marche sous les étoiles, du chant de la poulie, de l'effort de mes bras. Elle était bonne pour le cœur, comme un cadeau. Lorsque j'étais petit garçon, la lumière de l'arbre de Noël, la musique de la messe de minuit, la douceur des sourires faisaient ainsi tout le rayonnement du cadeau de Noël que je recevais.

– Les hommes de chez toi, dit le petit prince, cultivent cinq mille roses dans un même jardin… et ils n'y trouvent pas ce qu'ils cherchent.

– Ils ne le trouvent pas, répondis-je…

– Et cependant ce qu'ils cherchent pourrait être trouvé dans une seule rose ou un peu d'eau…

– Bien sûr, répondis-je.

Et le petit prince ajouta :

– Mais les yeux sont aveugles. Il faut chercher avec le cœur.

J'avais bu. Je respirais bien. Le sable, au lever du jour, est couleur de miel. J'étais heureux aussi de cette couleur de miel. Pourquoi fallait-il que j'eusse de la peine…

– Il faut que tu tiennes ta promesse, me dit doucement le petit prince, qui, de nouveau, s'était assis auprès de moi.

– Quelle promesse ?

– Tu sais… une muselière pour mon mouton… je suis responsable de cette fleur !

Je sortis de ma poche mes ébauches de dessin. Le petit prince les aperçut et dit en riant :

– Tes baobabs, ils ressemblent un peu à des choux…

– Oh !

Moi qui était si fier des baobabs !

– Ton renard… ses oreilles… elles ressemblent un peu à des cornes… et elles sont trop longues !

Et il rit encore.

– Tu es injuste, petit bonhomme, je ne savais rien dessiner que les boas fermés et les boas ouverts.

– Oh ! ça ira, dit-il, les enfants savent.

Je crayonnai donc une muselière. Et j'eus le cœur serré en la lui donnant :

– Tu as des projets que j'ignore…

Mais il ne me répondit pas. Il me dit :

– Tu sais, ma chute sur la Terre… c'en sera demain l'anniversaire…

Puis, après un silence il dit encore :

– J'étais tombé tout près d'ici…

Et il rougit.

Et de nouveau, sans comprendre pourquoi, j'éprouvai un chagrin bizarre. Cependant une question me vint :

– Alors ce n'est pas par hasard que, le matin où je t'ai connu, il y a huit jours, tu te promenais comme ça, tout seul, à mille milles de toutes les régions habitées ! Tu retournais vers le point de ta chute ?

Le petit prince rougit encore.

Et j'ajoutai, en hésitant :

– À cause, peut-être, de l'anniversaire ?…

Le petit prince rougit de nouveau. Il ne répondait jamais aux questions, mais, quand on rougit, ça signifie " oui ", n'est-ce pas ?

– Ah ! lui dis-je, j'ai peur…

Mais il me répondit :

– Tu dois maintenant travailler. Tu dois repartir vers ta machine. Je t'attends ici. Reviens demain soir…

Mais je n'étais pas rassuré. Je me souvenais du renard. On risque de pleurer un peu si l'on s'est laissé apprivoiser…

Chapitre 26

Il y avait, à côté du puits, une ruine de vieux mur de pierre. Lorsque je revins de mon travail, le lendemain soir, j'aperçus de loin mon petit prince assis là-haut, les jambes pendantes. Et je l'entendis qui parlait :

– Tu ne t'en souviens donc pas ? disait-il. Ce n'est pas tout à fait ici !

Une autre voix lui répondit sans doute, puisqu'il répliqua :

– Si ! Si ! c'est bien le jour, mais ce n'est pas ici l'endroit…

Je poursuivis ma marche vers le mur. Je ne voyais ni n'entendais toujours personne. Pourtant le petit prince répliqua de nouveau :

– … Bien sûr. Tu verras où commence ma trace dans le sable. Tu n'as qu'à m'y attendre. J'y serai cette nuit.

J'étais à vingt mètres du mur et je ne voyais toujours rien.

Le petit prince dit encore, après un silence :

– Tu as du bon venin ? Tu es sûr de ne pas me faire souffrir longtemps ?

Je fis halte, le cœur serré, mais je ne comprenais toujours pas.

– Maintenant va-t'en, dit-il… je veux redescendre !

Alors j'abaissai moi-même les yeux vers le pied du mur, et je fis un bond ! Il était là, dressé vers le petit prince, un de ces serpents jaunes qui vous exécutent en trente secondes. Tout en fouillant ma poche pour en tirer mon revolver, je pris le pas de course, mais, au bruit que je fis, le serpent se laissa doucement couler dans le sable, comme un jet d'eau qui meurt, et, sans trop se presser, se faufila entre les pierres avec un léger bruit de métal.

Je parvins au mur juste à temps pour y recevoir dans les bras mon petit bonhomme de prince, pâle comme la neige.

– Quelle est cette histoire-là ! Tu parles maintenant avec les serpents !

J'avais défait son éternel cache-nez d'or. Je lui avais mouillé les tempes et l'avais fait boire. Et maintenant je n'osais plus rien lui demander. Il me regarda gravement et m'entoura le cou de ses bras. Je sentais battre son cœur comme celui d'un oiseau qui meurt, quand on l'a tiré à la carabine. Il me dit :

– Je suis content que tu aies trouvé ce qui manquait à ta machine. Tu vas pouvoir rentrer chez toi…

– Comment sais-tu !

Je venais justement lui annoncer que, contre toute espérance, j'avais réussi mon travail !

Il ne répondit rien à ma question, mais il ajouta :

– Moi aussi, aujourd'hui, je rentre chez moi…

Puis, mélancolique :

– C'est bien plus loin… c'est bien plus difficile…

Je sentais bien qu'il se passait quelque chose d'extraordinaire. Je le serrais dans les bras comme un petit enfant, et cependant il me semblait qu'il coulait verticalement dans un abîme sans que je pusse rien pour le retenir…

Il avait le regard sérieux, perdu très loin :

– J'ai ton mouton. Et j'ai la caisse pour le mouton. Et j'ai la muselière…

Et il sourit avec mélancolie.

J'attendis longtemps. Je sentais qu'il se réchauffait peu à peu :

– Petit bonhomme, tu as eu peur…

Il avait eu peur, bien sûr ! Mais il rit doucement :

– J'aurai bien plus peur ce soir…

De nouveau je me sentis glacé par le sentiment de l'irréparable. Et je compris que je ne supportais pas l'idée de ne plus jamais entendre ce rire. C'était pour moi comme une fontaine dans le désert.

– Petit bonhomme, je veux encore t'entendre rire…

Mais il me dit :

– Cette nuit, ça fera un an. Mon étoile se trouvera juste au-dessus de l'endroit où je suis tombé l'année dernière…

– Petit bonhomme, n'est-ce pas que c'est un mauvais rêve cette histoire de serpent et de rendez-vous et d'étoile…

Mais il ne répondit pas à ma question. Il me dit :

– Ce qui est important, ça ne se voit pas…

– Bien sûr…

– C'est comme pour la fleur. Si tu aimes une fleur qui se trouve dans une étoile, c'est doux, la nuit, de regarder le ciel. Toutes les étoiles sont fleuries.

– Bien sûr…

– C'est comme pour l'eau. Celle que tu m'as donnée à boire était comme une musique, à cause de la poulie et de la corde… tu te rappelles… elle était bonne.

– Bien sûr…

– Tu regarderas, la nuit, les étoiles. C'est trop petit chez moi pour que je te montre où se trouve la mienne. C'est mieux comme ça. Mon étoile, ça sera pour toi une des étoiles. Alors, toutes les étoiles, tu aimeras les regarder… Elles seront toutes tes amies. Et puis je vais te faire un cadeau…

Il rit encore.

– Ah ! petit bonhomme, petit bonhomme j'aime entendre ce rire !

– Justement ce sera mon cadeau… ce sera comme pour l'eau…

– Que veux-tu dire ?

– Les gens ont des étoiles qui ne sont pas les mêmes. Pour les uns, qui voyagent, les étoiles sont des guides. Pour d'autres elles ne sont rien que de petites lumières. Pour d'autres qui sont savants elles sont des problèmes. Pour mon businessman elles étaient de l'or. Mais toutes ces étoiles-là se taisent. Toi, tu auras des étoiles comme personne n'en a…

– Que veux-tu dire ?

– Quand tu regarderas le ciel, la nuit, puisque j'habiterai dans l'une d'elles, puisque je rirai dans l'une d'elles, alors ce sera pour toi comme si riaient toutes les étoiles. Tu auras, toi, des étoiles qui savent rire !

Et il rit encore.

– Et quand tu seras consolé (on se console toujours) tu seras content de m'avoir connu. Tu seras toujours mon ami. Tu auras envie de rire avec moi. Et tu ouvriras parfois ta fenêtre, comme ça, pour le plaisir… Et tes amis seront bien étonnés de te voir rire en regardant le ciel. Alors tu leur diras : " Oui, les étoiles, ça me fait toujours rire ! " Et ils te croiront fou. Je t'aurai joué un bien vilain tour…

Et il rit encore.

– Ce sera comme si je t'avais donné, au lieu d'étoiles, des tas de petits grelots qui savent rire…

Et il rit encore. Puis il redevint sérieux :

– Cette nuit… tu sais… ne viens pas.

– Je ne te quitterai pas.

– J'aurai l'air d'avoir mal… j'aurai un peu l'air de mourir. C'est comme ça. Ne viens pas voir ça, ce n'est pas la peine…

– Je ne te quitterai pas.

Mais il était soucieux.

– Je te dis ça… c'est à cause aussi du serpent. Il ne faut pas qu'il te morde… Les serpents, c'est méchant. Ça peut mordre pour le plaisir…

– Je ne te quitterai pas.

Mais quelque chose le rassura :

– C'est vrai qu'ils n'ont plus de venin pour la seconde morsure…

Cette nuit-là je ne le vis pas se mettre en route. Il s'était évadé sans bruit. Quand je réussis à le rejoindre il marchait décidé, d'un pas rapide. Il me dit seulement :

– Ah ! tu es là…

Et il me prit par la main. Mais il se tourmenta encore :

– Tu as eu tort. Tu auras de la peine. J'aurai l'air d'être mort et ce ne sera pas vrai…

Moi je me taisais.

– Tu comprends. C'est trop loin. Je ne peux pas emporter ce corps-là. C'est trop lourd.

Moi je me taisais.

– Mais ce sera comme une vieille écorce abandonnée. Ce n'est pas triste les vieilles écorces…

Moi je me taisais.

Il se découragea un peu. Mais il fit encore un effort :

– Ce sera gentil, tu sais. Moi aussi je regarderai les étoiles. Toutes les étoiles seront des puits avec une poulie rouillée. Toutes les étoiles me verseront à boire…

Moi je me taisais.

– Ce sera tellement amusant ! Tu auras cinq cents millions de grelots, j'aurai cinq cents millions de fontaines…

Et il se tut aussi, parce qu'il pleurait…

– C'est là. Laisse-moi faire un pas tout seul.

Et il s'assit parce qu'il avait peur.

Il dit encore :

– Tu sais… ma fleur… j'en suis responsable ! Et elle est tellement faible ! Et elle est tellement naïve. Elle a quatre épines de rien du tout pour la protéger contre le monde…

Moi je m'assis parce que je ne pouvais plus me tenir debout. Il dit :

– Voilà… C'est tout…

Il hésita encore un peu, puis il se releva. Il fit un pas. Moi je ne pouvais pas bouger.

Il n'y eut rien qu'un éclair jaune près de sa cheville. Il demeura un instant immobile. Il ne cria pas. Il tomba doucement comme tombe un arbre. Ça ne fit même pas de bruit, à cause du sable.

Chapitre 27

Et maintenant, bien sûr, ça fait six ans déjà… Je n'ai jamais encore raconté cette histoire. Les camarades qui m'ont revu ont été bien contents de me revoir vivant. J'étais triste mais je leur disais : " C'est la fatigue… "

Maintenant je me suis un peu consolé. C'est à dire… pas tout à fait. Mais je sais bien qu'il est revenu à sa planète, car, au lever du jour, je n'ai pas retrouvé son corps. Ce n'était pas un corps tellement lourd… Et j'aime la nuit écouter les étoiles. C'est comme cinq cent millions de grelots…

Mais voilà qu'il se passe quelque chose d'extraordinaire. La muselière que j'ai dessinée pour le petit prince, j'ai oublié d'y ajouter la courroie de cuir ! Il n'aura jamais pu l'attacher au mouton. Alors je me demande : " Que s'est-il passé sur sa planète ? Peut-être bien que le mouton a mangé la fleur… "

Tantôt je me dis : " Sûrement non ! Le petit prince enferme sa fleur toutes les nuits sous son globe de verre, et il surveille bien son mouton… " Alors je suis heureux. Et toutes les étoiles rient doucement.

Tantôt je me dis : " On est distrait une fois ou l'autre, et ça suffit ! Il a oublié, un soir, le globe de verre, ou bien le mouton est sorti sans bruit pendant la nuit… " Alors les grelots se changent tous en larmes !…

C'est là un bien grand mystère. Pour vous qui aimez aussi le petit prince, comme pour moi, rien de l'univers n'est semblable si quelque part, on ne sait où, un mouton que nous ne connaissons pas a, oui ou non, mangé une rose…

Regardez le ciel. Demandez-vous : le mouton oui ou non a-t-il mangé la fleur ? Et vous verrez comme tout change…

Et aucune grande personne ne comprendra jamais que ça a tellement d'importance !

Ça c'est, pour moi, le plus beau et le plus triste paysage du monde. C'est le même paysage que celui de la page précédente, mais je l'ai dessiné une fois encore pour bien vous le montrer. C'est ici que le petit prince a apparu sur terre, puis disparu.

Regardez attentivement ce paysage afin d'être sûrs de le reconnaître, si vous voyagez un jour en Afrique, dans le désert. Et, s'il vous arrive de passer par là, je vous en supplie, ne vous pressez pas, attendez un peu juste sous l'étoile ! Si alors un enfant vient à vous, s'il rit, s'il a des cheveux d'or, s'il ne répond pas quand on l'interroge, vous devinerez bien qui il est. Alors soyez gentils ! Ne me laissez pas tellement triste : écrivez-moi vite qu'il est revenu…